D1413699

LE
PANTIN
NOIR

Stéphanie Bille est née le 29 août 1912. Elle choisira plus tard le prénom de Corinna qui évoque le village de Corin, près de Sierre, village d'origine de sa mère. Elle vécut principalement dans le Valais central, dont la nature inspira profondément son oeuvre. S. Corinna Bille est l'auteur de romans, de nouvelles, comme *La Demoiselle sauvage* qui lui valut le Goncourt de la Nouvelle en 1975. Elle a publié également des poèmes et des histoires pour enfants. Elle mourut à Sierre le 24 octobre 1979.

Ce livre a été publié avec l'aide
du Conseil de la Culture de l'Etat du Valais

Maquette: Haydé Ardalan

LE PANTIN NOIR

S. Corinna Bille

LA JOIE DE LIRE

AVERTISSEMENT DE L'AUTEUR

J'avais dix-neuf ans quand j'écrivis ce roman naïf. Je croyais l'écrire pour les adultes, mais l'enfance me collait encore à la peau et au coeur. Je n'en étais pas sortie. Et pourtant! Je rentrais d'un premier séjour à Paris, chez ma soeur. Il m'était arrivé là-bas ce qu'on peut nommer une aventure. Mais elle avait l'air d'un rêve. Observant tous les jours, de ma fenêtre, le va-et-vient des chalands sur la Seine, je m'aperçus du va-et-vient des plus étranges d'un long jeune homme aux cheveux et à l'oeil noirs, portant melon noir, costume noir. Avec gants et badine! Il sortait tout vivant d'une peinture 1900, oui, de Lautrec, de Vallotton et aussi du Grand Meaulnes, et peut-être plus encore des Charlot. Il me regardait, je le regardais. Cet échange, le seul que nous eûmes, dura des semaines, des mois. Il se promenait à toute heure sur le quai d'Auteuil, mais son moment préféré était le soir, à la lueur du réverbère. Il s'arrêtait, me souriait. Je souriais. Jamais nous ne nous parlâmes.

Au printemps, je revins en Suisse chez mes parents. Et je me mis à écrire mon premier livre. Le Pantin noir en était le principal personnage; le cadre, le Valais retrouvé. Luce Alvaine, c'est un peu moi et pas moi. Une petite fille sensible et romanesque, comme beaucoup de petites filles le sont encore aujourd'hui.

Quant à Danielle, la belle jeune Dame, elle était le reflet d'une "merveilleuse" en chair et en os, que j'ai connue, mais aussi la cavalière de John Dos Passos qui traverse en filigrane *Manhattan Transfer:*

Tout en vert, sur un étalon blanc,
Chevauchait la dame du bataillon perdu.

Cinq ans après, je récrivis le même petit roman sous un autre jour et d'autres yeux.

LA PREMIÈRE HISTOIRE

à Cosette

UNE FUGUE

1

Un matin de tout premier printemps.

Le Valais, tel un livre, s'ouvre à la page marquée par le signet du Rhône.

Il y a un peu de rose dans le gris des vignes, du gris dans le sombre des bois de pins, du roux sur les haies, du vieil or sur les chênes-nains. Et quelques taches d'un vert cru chantent sur les prés bruns.

Un chemin que les roues et les pas ont modelé… une petite fille marche. Dans son mince visage hâlé, les yeux s'ouvrent très clairs. Ses cheveux noirs folâtrent en mèches courtes, peignées par le vent; ses chaussettes tombent sur ses sandales et son manteau est jeté sur ses épaules.

Où va-t-elle ainsi toute seule?

Un merle a sifflé sur la dernière branche d'un poirier. Mais Luce Alvaine ne l'a pas écouté. Devant elle, viennent trois paysans silencieux. Ils portent sous l'oreille la pioche à double tranchant et, à la main, un barillet de mélèze qui se balance. Une jeune fille les suit, tirant une charrette vide; le tablier, la jupe noire qui s'évase, le paletot coupé en pointe dans le dos, et sur la tête le chapeau ovale presque plat, aux rubans violets, lui donnent cette allure bizarrement noble qu'ont les femmes de ce pays.

Elle part soudain d'un grand éclat de rire et dit quelques mots en patois aux trois hommes qui la précèdent. Cette gaieté fait mal à Luce: "Ils ne savent pas, eux, que je me suis enfuie… Ils ne savent pas que je m'en vais pour toujours." Et une fierté douce, une tendresse apitoyée sur elle-même l'inondent.

Dans les champs, des feuilles mortes et des tiges de maïs brûlent en tas, et par place on a mis le feu aux touffes sèches des talus. "Tu-es-fou! Tu-es-fou!", lance la mésange charbonnière. Mais Luce Alvaine ne l'a pas entendue.

Elle n'entend rien aujourd'hui.

Elle songe: "Pourquoi suis-je sur la terre? A quoi est-ce que ça sert de vivre? Personne ne m'aime, personne!".

Un sentier dans les longs prés… Luce enjambe une caravane de fourmis rousses. A chaque pas, elle risque d'écraser des tussilages jaune vif. Il y en a toute une procession aussi. Elle veut se baisser pour en cueillir, mais elle se ravise: "Plus jamais je ne ramasserai des fleurs." Et cette abnégation soudaine lui plaît.

Une vieille femme, immobile, garde deux chèvres. Sa figure ridée a la couleur d'une pomme de terre et semble très pointue à cause d'un fichu noué sous le menton. Luce se retourne et la regarde. La bergère hoche la tête, pareille à une poupée mécanique qu'on a remontée et qui répète le même mouvement. Elle fixe sur la petite fille deux yeux, deux trous pleins d'ombre.

Les chèvres aussi se sont mises à l'examiner en pointant vers elle leur barbiche sale, avec une impertinence ironique. "Que me veulent-elles?", pense Luce inquiète. Elle s'est approchée. La vieille femme est aveugle et sourde: elle prie.

Et Luce s'en va.

Un terrain sablonneux des bords du Rhône... Il y pousse des argousiers à l'écorce argentée, qui portent de petites baies orange et flétries. Un troupeau de moutons broute une herbe rare.

L'arrivée de Luce ébranle quelques sonnettes. Les moutons la contemplent de leurs yeux étranges, des yeux sans vie. Elle tend les doigts vers eux mais ils ne se laissent pas caresser.

Elle saisit tout à coup les deux cornes en spirale d'un gros bélier qui fait un bond et la renverse doucement. Elle est étendue par terre et au-dessus d'elle les têtes frisées se penchent. Elle sent passer une langue rugueuse sur sa figure, et d'autres encore sur ses mains.

– Ils me mangent, ils me mangent! et Luce se relève en riant.

– C'est qu'ils n'ont pas grand chose à brouter, répond une voix grave.

Le berger: il a un air sauvage, un menton brutal cerné de poils en broussaille, un nez presque droit, des yeux trop pâles.

– Oui, ils sont si maigres! fait Luce.

– Alors vous êtes venue toute seule, ce matin?

– Oui…

– Et vous n'avez pas peur?

– Pourquoi aurais-je peur?

– Parce que vous êtes petite.

– Tout m'est égal maintenant… Ça m'est bien égal de mourir.

– Qu'est-ce que vous dites là?

– Rien.

Une brebis lève le museau et bêle longuement. Elle appelle son agneau qui tremble sur ses pattes fragiles.

– Aujourd'hui il fait un joli soleil, continue le berger. Mais les autres matins, plus que tant chaud je n'avais pas!

– …

– Il me semble que de rester tout le jour dans la solitude, on devient mauvais. On a trop le temps de

14

penser. Et c'est jamais bon de penser.

– Non, c'est jamais bon, répète Luce.

– Et M. Alvaine, il va bien? Et votre maman?

Luce est devenue blanche.

– Vous savez, vous lui ressemblez tellement à votre mère! C'est tout à fait elle, en plus petit.

Pourquoi lui a-t-il dit cela? Une vieille souffrance s'est réveillée en Luce. Elle la connaît bien, c'est cette pitié, cet amour douloureux qu'elle éprouve toujours après avoir peiné Mme Alvaine.

"Il y a tant de choses que je ne comprends pas… pense Luce. Et je n'ose pas le raconter aux autres. Ils riraient, ils répondraient: "Tu es folle!" ou "Ce n'est rien du tout." Ils sont si loin, les autres. Comme s'ils habitaient dans un monde au-dessus."

– Je crois que si vous voulez rentrer à la maison pour midi, il faut partir maintenant… dit soudain le berger.

– A la maison? Mais je n'y retournerai plus jamais! rétorque Luce, avec un naturel qui l'effraie.

– Qu'est-ce que vous dites?

– Je n'y retourne plus.

– Vous? Et pourquoi?

– Personne ne m'aime, pas même maman, pas même elle!

– Et qu'est-ce que vous pensez faire?

– Je ne sais pas.

Alors Luce s'aperçoit que le berger rit. Toute sa

figure se plisse, mais c'est un rire silencieux.

– Vous ne resterez pas longtemps dehors! Dès que vous aurez un peu faim ou bien quand la nuit viendra, votre maman vous verra revenir.

Luce est vexée.

– Je n'ai pas peur de la mort! fait-elle brusquement.

– Ce n'est pas si facile de mourir, dit à voix basse le berger.

Luce le regarde. Il ne rit plus, et dans ses yeux il y a de la colère.

– Et vous osez dire que votre bonne mère ne vous aime pas!

– Hier, elle m'a crié: "Luce, tu es trop méchante! Je voudrais te piler en petits morceaux!". Et toujours, toujours elle me gronde.

– En ce moment, savez-vous ce que vous méritez?

– Quoi?

– Le fouet! Oui, votre mère ferait mieux de vous foutre une taloche, au lieu de vous dire des paroles.

La petite fille ne répond rien.

Elle a pris le chemin du retour.

Là-bas, les collines se courbent doucement et dans le sentier grimpe un cortège de joueurs de flûtes et de tambours. Et cette musique plaît aux enfants et aux hommes.

Luce marche vite; elle court même depuis un moment. Et maintenant elle a rattrapé le cortège et le suit. Elle regarde là-haut un cube posé, comme un dé à jouer, sur le damier des prairies et des vignes.

Elle arrive.

C'est une maison carrée à deux étages, aux lignes austères. Elle a été construite à l'époque où l'on faisait encore des murs très épais. Presque toutes les fenêtres sont ouvertes. Au midi, un vieux balcon baroque en fer et à même le sol une terrasse dallée donnent sur un verger en pente. Plus bas, c'est la plaine avec sa petite ville, ses routes, sa voie ferrée, ses collines de pins noirs et ses trois lacs verts. Et, de chaque côté, s'élève le rempart des montagnes qui prend la moitié du ciel.

La porte d'entrée de la maison Alvaine se trouve à l'ouest. On y accède par quatre marches en demi-cercle. Il n'y a pas de sonnette, les visiteurs doivent manifester leur présence en frappant à l'aide d'un heurtoir de bronze. Elle n'est séparée de la route que par un mur bas et une allée de gravier. Le soir, un grand réverbère s'allume et jette une clarté verdâtre sur la façade.

Lorsque Luce se trouva sur le seuil, elle se sentit tout à coup très faible. Elle n'entendait plus la musique des fifres, mais un bruit sourd de cloches comme si un troupeau de vaches passait. Son coeur cognait, cognait contre sa poitrine et peu à peu tout devint sombre, si sombre qu'elle ne put même pas distinguer la poignée de la porte. Elle s'assit sur les marches, et quand elle rouvrit les yeux, tout était de nouveau vrai et lumineux.

Dans l'allée près de la treille, une petite voix chantait, tendre comme une prière:

Venez, venez, petits lézards!
Venez, venez, jolis lézards!

Luce la connaissait bien cette mélopée; elle revenait tous les printemps autour de la maison. Et prenant bien soin de ne pas faire grincer les cailloux bleus sous ses sandales, Luce s'approcha.

Michel, son frère de deux années plus jeune, se tenait debout, un doigt levé, immobile comme un saint de bois.

S'agrippant aux pierres, dix lézards gris écoutaient… Et d'autres encore surgissaient des fentes sulfatées du mur, vibrants, prêts à s'enfuir, puis s'arrêtaient en tournant la tête vers leur singulier charmeur.

Et sous les écailles, leur coeur infime battait bien fort.

Venez, venez, petits lézards… continuait, inlassable et patiente, la voix.

LA FAMILLE ALVAINE

2

Après la grande clarté du dehors, la chambre à manger paraît obscure. La simplicité de ses gros meubles de noyer est reposante, les fenêtres ont des rideaux de toile à ramages. Il y a un antique dressoir incrusté, en bois plus clair, de chiffres et d'oiseaux. Contre la paroi blanchie sont accrochées des images peintes sur verre où des personnages, souriants ou sévères, s'entourent de fleurs rouges et bleues à feuilles noires.

La famille Alvaine se mit à table.

"Si l'on ne me demande rien, je ne dirai rien", pense Luce. Elle se perdit dans la contemplation de son lien de serviette où ses initiales étaient gravées.

Elle aurait bien voulu poser les yeux sur le visage de sa mère, assise en face. Elle en avait envie comme d'un objet défendu, mais elle était sûre que, si elle la regardait, elle éclaterait en larmes. Et elle était trop fière pour se permettre cela.

Son frère Michel s'occupait uniquement d'une petite boîte en carton, percée de trous, qu'il ouvrait à tout moment pour la refermer bien vite.

Ni lui ni Luce ne songeaient à manger.

– Eh bien, vous deux! Et votre soupe? dit M. Alvaine. Il avait une figure bronzée, un nez débonnaire, deux yeux noirs interrogateurs.

Si Mme Alvaine jouissait d'un grand prestige auprès de ses enfants, son mari, lui, n'en avait guère. Il était pour eux un personnage presque aussi lointain que ceux des images peintes. Luce l'aimait avec une tendresse amusée, elle le trouvait comique, elle s'intéressait à le voir tailler ses arbres, les greffer, les badigeonner, examiner les bourgeons à la loupe, soupeser les grappes dans ses vignes, tâter les poires des espaliers… Il accomplissait ces gestes avec gravité, avec bonheur.

Et Luce revit les raisins dans le soleil, le feuillage tacheté de bleu… Elle entendit le bruit mou du battoir dans la brante. Elle entendait aussi la musique des abeilles et des bourdons… Mais bientôt il n'y eut plus dans la chambre que la voix monotone de M. Alvaine, dissipant toutes les visions.

Il parlait, parlait.

Et Mme Alvaine répondait:

– Pourquoi t'occuper de ces choses, mon ami? Qu'est-ce que les petites querelles intestines de deux ou trois partis peuvent bien te faire? Vis au-dessus de ces mesquineries. Je ne comprends pas ton désir de te mettre sur cette liste de conseillers, tu es tout sauf un politicien. Tu es un gentilhomme campagnard, voilà ce que tu es!

– Cela n'empêche pas de s'occuper de politique, au contraire! Tu as des idées trop arrêtées. Écoute-moi… protestait M. Alvaine sans grande conviction.

– Depuis quelque temps tu ne t'occupes, tu ne parles plus que de ça!, interrompit Mme Alvaine. Tu es toujours dans tes journaux! Même à table. Ils mentent ces journaux, ils racontent des idioties… qu'ils soient de droite ou de gauche! Comment peux-tu y croire, voyons! Et voilà que tu te mets à polémiquer maintenant, toi aussi!

– Oui hélas, et on me dit que j'ai des théories utopiques et que je vois le monde comme un poète, maugréa M. Alvaine.

– Comme un poète? Pour bien des gens, c'est synonyme de naïf! lança Mme Alvaine en cachant mal un sourire.

– Utopique! Mais c'est toujours les utopistes qui ont mené les peuples!

– Oh! Arthur, pourquoi te fourvoyer dans cette comédie?

– Mais c'est justement pour améliorer le mauvais état des choses que des hommes honnêtes comme moi doivent s'en occuper!

Mme Alvaine se tut.

Alors Luce osa enfin regarder sa mère, et il lui sembla qu'elle ne l'avait jamais bien vue.

C'était une dame très menue au visage allongé. Ses yeux bleus d'un extraordinaire éclat s'ouvraient sous des sourcils en accent circonflexe, ce qui leur donnait une expression fatiguée. Le nez mince était trop pâle, et ses cheveux châtains tirés en arrière formaient sur la nuque un chignon trop lourd. Mais ce poids lui faisait toujours tenir la tête haute.

M. Alvaine monologuait et Mme Alvaine l'écoutait en silence. Luce sentit obscurément que sa mère, malgré son attitude absorbée, n'entendait plus; un sourire triste repassa sur ses traits et, lorsqu'elle répondit, elle eut l'air de revenir de très loin.

"Où va-t-elle?", se demanda Luce. Et pour la première fois de sa vie, elle eut l'impression de ne plus faire partie de la famille Alvaine. Elle était devenue une simple spectatrice, incapable de communiquer avec ses membres, et cet isolement lui parut affreux.

Elle ne comprit pas comment cela se fit, mais soudain dans le regard de Mme Alvaine posé sur elle, Luce vit… Que vit-elle? Une chose si grande, si bonne, si belle: l'amour maternel.

Alors, très doucement, la petite fille se glissa sous la table et marcha à quatre pattes jusque vers les genoux de sa mère. Et là, prenant dans les siennes les deux longues mains fines de Mme Alvaine, elle les baisa.

– Pardon, dit-elle

– Tout est si simple, fillette, et toi tu compliques tout! dit une voix tendre au-dessus d'elle.

Mais Luce ne trouvait pas que la vie fût si simple.

CE MOIS DE MAI QUI EST SI LONG!

3

Peu de temps après l'escapade de Luce, Mme Alvaine tomba malade. La fièvre n'était pas très forte, mais une grande faiblesse la paralysait sur son lit. Elle chantonnait à mi-voix des chansons dont les paroles se ressemblaient toutes. Luce écoutait, assise au pied du lit, et par moments d'étranges frissons lui couraient aussi le long du dos.

– Maman, ne chante plus, je t'en supplie! disait-elle. Tu vas te fatiguer.

– Petite fille, si je ne chantais pas, je pleurerais… Non, ouvre donc la fenêtre pour que j'entende les grillons. Écoute!… ce sont les musiciens les plus heureux de la terre, on dirait toujours qu'ils préparent une fête qui ne finira jamais.

– Michel en a attrapé trois ce matin, dans le verger, et il a été leur faire des trous au jardin pour qu'ils y restent… raconta Luce.

– Ils ne voudront pas rester. Mais parle-moi de ce que fait le jardin maintenant.

– Il y a des herbes pointues qui coupent et m'ont fait saigner un doigt, mais le beau pic-vert est revenu. Je l'entends souvent taper de son bec le tronc du peuplier.

– Ah! il est revenu?… Et l'abricotier de la vigne? demanda Mme Alvaine.

– Il est tellement couvert d'abeilles que je n'ose pas m'en approcher.

– Cela veut dire qu'il est tout en fleurs. Oh! je voudrais bien le voir. Va m'en cueillir une branche, Luce, aujourd'hui je te le permets. Une petite branche, n'est-ce pas?

Luce sortit de la chambre.

Dehors, l'air sentait bon et beaucoup de lumière faisait briller le toit d'ardoise. La maison avait, ce jour-là, le même frémissement attentif des lézards qui se chauffent au soleil.

Quand la petite fille revint, sa mère somnolait. Elle posa le rameau fleuri sur la couverture tout près de la malade, et se mit à la contempler en silence.

Le visage mince de Mme Alvaine remua sur l'oreiller et ses yeux s'ouvrirent, mais les paupières mal relevées les voilaient à demi comme les rideaux d'une fenêtre. Elle appuya sa joue contre les corolles blanches et d'une voix très basse, elle chanta:

> *Je me suis aventuré,*
> *En nos jardins suis entré*

26

Pour cueillir rose ou bouton
En cette nouvelle saison:
Hélas! comment passerai donc
Ce mois de mai qui est si long?

– On n'est pas encore au mois de mai, maman.

– Pas encore, pas encore...

Mme Alvaine n'acheva pas la phrase. Elle se haussa un peu et regarda Luce d'un oeil scrutateur:

– Au fond, tu es une drôle de fillette, toi. La surface on sait ce que c'est, mais l'intérieur?

– L'intérieur? répéta Luce sans comprendre.

– Je voudrais que tu puisses toujours demeurer toi-même. Vois-tu, notre personnalité c'est le seul bien qui nous appartienne vraiment, et il y a tant de malheureux qui laissent périr la leur.

Luce écoutait, déconcertée par le ton grave de sa mère.

– Je ne me réjouis guère de te savoir à l'école. L'enfant a terriblement envie de ressembler aux autres, il a peur de se singulariser, il est souvent honteux de ses réactions spontanées parce qu'elles ne sont pas toujours bien interprétées. L'adulte, au contraire, n'est que trop porté à se croire un être exceptionnel...

Mme Alvaine semblait parler pour elle seule, et pourtant elle ne cessait pas de regarder sa fille.

– On te dira beaucoup de choses qu'il vaut

mieux ne pas écouter. On te dira que le bonheur n'est pas de ce monde, que rien ne peut être parfait. Luce, il faut croire au bonheur: il existe. Mais la plupart des gens le cherchent où il n'est pas, ou bien ils s'ingénient à le gâcher. L'homme est un gâcheur de joie. Moi, je te dis que le bonheur c'est le don de sentir ce qui est beau, c'est une force que Dieu a mise dans le coeur de tous les hommes, mais beaucoup ne savent pas la cultiver. Ils la détruisent, ils se détruisent. Et n'oublie pas que dans les grands chagrins cette force reste en veilleuse, elle ne diminue jamais pour ceux qui ont su la reconnaître.

– Maman, pourquoi me dis-tu toutes ces choses?

– C'est vrai! Je parle, je parle et j'oublie que tu es une petite fille! Veux-tu aller me tremper une serviette dans de l'eau et me la poser sur le front. Dis, tu ne t'ennuies pas trop, près de moi?

– Oh! non, maman! protesta Luce et elle alla lui chercher une compresse à laquelle elle ajouta une goutte d'eau de Cologne.

– Merci, ma chérie, que c'est frais et bon ce linge humide. J'ai soif, Luce, horriblement soif, mais le docteur me défend de boire.

Et Mme Alvaine ferma les yeux. Elle ne pouvait pas dormir et continuait de discourir par petites phrases hachées et sans suite.

– Ce torrent de montagne, tu te souviens de ce torrent, Luce? L'eau était étincelante et vive comme des feux d'artifice… Et si froide, si froide, elle faisait mal à la bouche. Et ces gros cailloux marbrés… ces petites grottes au fond couvert de sable… Luce, je suis penchée dessus, je bois, je bois! J'ai les joues mouillées, mes mèches laissent tomber des perles, mon menton trempe dans l'eau. Oh! Luce, quelle fraîcheur, c'est délicieux, c'est bon… Oh! Luce!

Et Mme Alvaine se redressa sur ses coussins, haletante.

La fille terrifiée regardait sans oser bouger.

Mais la malade reprit sa voix naturelle et dit avec douceur:

– N'aie pas peur, ce n'est rien. Je m'imaginais simplement que je buvais de l'eau du torrent. Ça m'a fait du bien, je n'ai plus soif maintenant.

Il y eut un long moment de silence.

– Luce, je voudrais tant que tu sois heureuse et Michel aussi. Je voudrais tant que vous sachiez voir la beauté de la vie.

– Maman, je n'aime pas la vie, répondit Luce. J'ai quelquefois désiré mourir, ajouta-t-elle plus bas.

– Oh! petite fille! Tu ne sais pas ce que tu dis…

– …

– As-tu vraiment des chagrins?

– Non, non! bredouilla Luce confuse.

– Avoir envie de mourir, c'est un luxe que s'offrent parfois les gens trop gâtés par la vie.

Mme Alvaine continuait de penser à haute voix et Luce ne savait plus à qui ces étranges paroles s'adressaient. M. Alvaine venait d'entrer, il écoutait avec stupeur les propos de sa femme.

– Qu'est-ce que tu lui racontes à cette petite? Heureusement qu'elle ne peut pas encore te comprendre. Tu as une drôle de façon d'élever les enfants!

Sa femme ne répondit pas, mais un sourire douloureux déforma sa bouche.

Une semaine plus tard, Mme Alvaine mourut.

Pendant plusieurs jours, Luce fut incapable de se rendre compte de ce qui lui était arrivé. Ce choc trop violent semblait l'avoir insensibilisée. Elle s'étonnait de se sentir encore vivante après "ça". Elle ne comprenait pas comment elle pouvait encore respirer, marcher, parler et même rire. Mais elle savait qu'une porte s'était refermée sur elle et que plus jamais le ciel ne serait bleu comme avant.

A la messe des funérailles, elle était agenouillée auprès de sa bonne, Prospérine, qui lisait dans un missel noir à tranches rouges, et parfois Luce l'entendait murmurer des paroles mystérieuses:

– … *ce jour qui doit réduire l'univers en cendres, selon les oracles de David et les prédictions de la Sybille. On ouvrira le livre où est écrit tout ce qui doit être… que dirai-je alors, malheureux que je suis? Seigneur Jésus-*

Christ, Roi de gloire, délivrez les âmes… de la puissance de l'enfer et de ce lac profond; délivrez-les de la gueule du lion…

Luce avait peur. Elle regardait les cierges et elle ne comprenait plus pourquoi elle était là.

Et la voix au-dessus d'elle reprenait:

– *Du fond de l'abîme, j'ai crié vers vous, Seigneur: Seigneur exaucez ma voix. Et que depuis le point du jour jusqu'à la nuit Israël espère…*

Toute l'église devenait noire et Luce ne voyait plus que les petites flammes sur l'autel, qui montaient et descendaient des escaliers invisibles.

Mais Luce soudain fut éblouie par une image.

Un jardin d'automne… les arbres amincis, presque transparents. Et sur une chaise, à même le sol couvert de feuilles rousses, une jeune dame est assise. Ses longues mains blanches éclairent sa robe sombre et ses yeux regardent très loin.

Maintenant, il n'y a plus que son visage et tout son visage sourit et son regard devient si grand, si grand, qu'il cache le reste du monde.

– Maman, maman! cria Luce

Mais seules les petites flammes des cierges montaient et descendaient les gradins dorés de l'autel.

L'ÉTRANGÈRE ÉTRANGE

4

Deux ans ont passé et c'est de nouveau le printemps.

Le foehn est revenu avec son souffle tiède et il s'est mis à ébouriffer les arbres, à soulever des nuages blancs sur les routes, à tourmenter les girouettes et les gens de la petite ville. Les jupes volent, les volets claquent, les ardoises se détachent des toits.

Mais les gamins et les gamines, sortis de l'école, ne s'en inquiètent guère: ils jouent aux billes sur le trottoir. C'est une véritable passion que ne rebutent ni la poussière ni la boue, ni les voitures ni les passants moqueurs. Ils tracent des lignes mystérieuses sur le sol et se servent d'un langage spécial. Il y a des instants d'attente anxieuse, puis des cris de joie ou de colère, des mots exclamatifs, incompréhensibles pour les profanes:

– *Ni pout ni poutitien!*

Hélas, arrive toujours le moment où les écoliers doivent rassembler leurs billes (qu'ils appellent marbres, qu'ils comptent avec des minuties d'avares) et prendre le chemin de la maison.

Luce est contente: elle en a gagné six aujourd'hui.

– Dis donc, je crois que c'est l'heure de rentrer! annonce une fillette, dont les deux tresses tirées derrière les oreilles sont trop courtes pour toucher les épaules.

– At-tends en-core un peu! répond une autre en faisant chanter les syllabes.

– Moi, je vais me faire attraper, mais je m'en fiche! lance une troisième qui perd la rosette de ses cheveux.

– Toute la route que j'ai à faire, moi! soupire Luce.

Mais les petites filles se mettent en branle, le nez en l'air, traînant avec elles cahiers et livres déchirés, très fières de leurs doigts tachés de bleu, de rouge, et de leurs allures volontairement débraillées. Il y a tant de choses à voir dans la rue.

Chaque vitrine a ses admiratrices, ses juges. Voici celle du marchand d'habits qui vend aussi des jouets, où l'on voit des bas, des bérets et le mannequin en cire, l'unique de la ville.

– Non, ce qu'il a l'air bête!

Des robes et des casaquins roses ou vert pomme se balancent à des crochets. "Dernier cri", dit une pancarte.

Plus loin, c'est l'épicerie où les bretelles et les

boutons de nacre voisinent avec les pains de sucre et la farine de maïs. Des poupées sont épinglées par-ci par-là.

Devant la papeterie, les fillettes stationnent longuement. D'étranges petits animaux en peluche ou en verre gravissent des tourelles d'agendas, et des colombes blanches viennent boire une eau invisible dans des coupes toutes grandeurs, en marbre jaune veiné de brun. Il y a aussi des boîtes à musique sculptées où l'on peut lire *Souvenir de X*. Quelques volumes brochés et reliés servent de fond à toutes ces merveilles.

– Hi! ça c'est un mauvais livre, maman l'a dit! assure la plus âgée de la troupe.

Elles épellent à voix haute chaque titre et sont toujours persuadées de les avoir compris:

– *Du sang de la volupté et de la mort*, *Le livre de cuisine* par Blanche Caramel, *La Neuvaine de Colette*, *Bécassine alpiniste*, *Les demi-vierges*…

Maintenant c'est la boutique de l'horloger. Les réveille-matin et les montres-bracelets sont ennuyeux, mais les bagues attirent leur attention.

– Moi, quand je serai fiancée, j'aurai celle qui a un gros diamant! dit la plus laide.

– Moi, je choisirai plutôt celle qui a une pierre bleue avec des minuscules perles tout autour… réplique l'écolière qui perd toujours son noeud de ruban.

– Oh! fais pas la maligne, la mienne est bien mieux. Et toi, Luce, laquelle tu prends?

– Moi? je me moque des bijoux! C'est le fiancé qui m'intéresse…

– T'entends ce qu'elle dit?

Et toutes éclatent d'un rire aigu.

Mais brusquement ce rire s'arrête. Elles ne disent plus un mot et toutes, toutes, regardent dans la même direction.

Au sommet de la petite rue grise aux maisons ocre rose, une dame aussi peu réelle qu'une fée vient d'apparaître.

Sa longue robe de taffetas, à volants bordés de valenciennes, frôle les pavés et de petits nuages de poussière en jaillissent comme de la fumée. Elle avance à pas menus et ses souliers de daim n'ont pas l'air de toucher le sol.

La voici tout près des fillettes. Elles retiennent leur souffle et leur coeur bat. Mais les yeux de la passante ne les voient pas. Ils sont très grands et brillent sous la fine arcade bleue des sourcils tracés au crayon, et ses joues ont la couleur des pêches.

Elle a passé.

Le premier mouvement flatteur des écolières s'est changé en insultes.

– T'as vu comme elle était peinte?

– Quelle robe de mascarade!

– Elle fait sa glorieuse mais elle devrait avoir

honte!

Luce qui est restée muette dit doucement:

– Comme elle était belle…

Toute la ville est bouleversée.

Les gens se retournent, se figent. Des fenêtres s'ouvrent, des rideaux se soulèvent, et de partout des yeux aigus, curieux, s'écarquillent pour voir l'étrange étrangère.

Des propos, comme un vol de corneilles, tournoient:

– Regardez, regardez!

– Mais qui est-ce?

– C'est une folle!

– Non, plutôt une putain.

– On voit tout à travers sa robe!

– En voilà une qui est sans-gêne…

– Hé! l'échappée de l'asile!

– Tu te crois en été avec tes décolletés?

– Elle a des kilomètres de dentelles sur sa jupe!

Et les rires fusent comme des jets d'eau.

Maintenant Luce est seule, elle a abandonné la rue pour une venelle de village qui monte entre des chalets mi-bois, mi-pierre, penchés un peu et se chevauchant, couverts de grosses plaques d'ardoise. Des ceps grimpent le long des murs, ou s'entortillent autour d'une barrière, un figuier s'appuie contre une façade, et des fumières attendent devant les portes basses des écuries. Les petites vaches noires, qu'on mène à la fontaine, sautent et courent en levant bien haut leurs queues. Elles aussi ont senti le printemps et le saluent à leur manière.

La dernière maison est dépassée. Le chemin s'enfonce dans les vergers à la rencontre des vignes, découpées en tranches parallèles sur le versant de la montagne.

Luce pense: "Elle était bien belle cette dame… Elle n'a pas l'air vivante. Pourquoi tout le monde s'est-il moqué d'elle?"

Mais soudain une bouffée de joie:

"C'est la liberté aujourd'hui. Pas d'école! Jeudi, jeux… dis? Quel bonheur. Plus de leçons ennuyeuses, plus de ces bancs vernis qui collent, plus d'aiguilles de pendules à regarder. On va pouvoir jouer au théâtre, et pourvu que Michel soit d'accord. Il aime parader en costume, mais il déteste apprendre de longs rôles. Si seulement Prospérine venait aussi, hélas elle ne veut pas être actrice, elle n'assiste même pas à nos représentations, elle ne sait que jouer de la trompette!"

5

Ils ne possédaient ni scène ni rideaux, ni décors ni spectateurs, mais leur enthousiasme leur suffisait. Cette passion pour le théâtre datait du jour où M. Alvaine les avait conduits voir *Les Fourberies de Scapin* donné par une troupe d'amateurs. Certains gestes, certaines phrases et leurs intonations leur étaient restés, et pendant quelque temps le *"mais qu'allait-il faire dans cette galère?"* résonna dans la maison rose.

– Aujourd'hui, Michel, on improvise, tu veux?

– Oui, c'est bien plus chic d'inventer. Voyons, voyons, que ferai-je?… Oh! je sais, je sais!

– Quoi?

– Va me chercher un costume de prince et une défroque de mendiant.

– Les deux à la fois?

– Oui.

Luce n'est pas empruntée. On peut se déguiser avec n'importe quoi, il suffit d'avoir un peu d'imagination. Les tiroirs et les bahuts qu'on n'ouvre plus depuis longtemps contiennent des trésors. Un tapis, de vieux habits, des chiffons, du papier en couleur, cela fait vite l'affaire. Cette plume d'autruche sera d'un effet magnifique sur le couvre-chef en feutre gris. Cette tenture brodée, que Luce fronce dans le haut, sera le plus princier des manteaux. Michel peut garder ses culottes en velours bleu, elles s'harmoniseront très bien avec le reste. Un noeud de satin, passé dans une boucle de rideau, est posé sur chaque soulier. Et voilà!

– Et le mendiant? réclame Michel.

Luce revient avec une grande couverture noirâtre mangée à plusieurs endroits par les souris.

– Si t'es pas content avec ça?

– Oui, mais il me faut encore une barbe.

Un peu d'ouate, un fil de fer et le petit garçon est transformé en vieillard. Il a caché sa toque à plume sous la couverture qui le couvre entièrement.

– Tu comprends, dit-il, je suis un prince mais je ne veux pas qu'on me reconnaisse, et je parcours des villes et des villes à la recherche d'une merveilleuse dame qui m'aimera malgré mes loques et mon pauvre air. Et…

– Peuh! c'est banal! interrompt Luce. Attends, attends, je fais la suite! Donc moi je suis la merveilleuse dame. Je te rencontre dans la rue, tu es là, appuyé contre un mur sale et tu demandes l'aumôme. Je suis très émue par tes beaux yeux tristes et nobles…

– Peuh! c'est banal! fait Michel.

– Attends! Je deviens follement amoureuse de toi, et toi aussi naturellement. Alors avec un ample geste tu laisses tomber ta pèlerine trouée, tu salues grandement avec ton chapeau – il faut que la plume touche par terre – et tu me dis, en mettant ta main sur ton coeur: "Je vous aime, belle dame! Venez avec moi dans mon royaume, car je suis un prince."

– Mais c'est exactement ce que je voulais dire.

– Attends! Moi je fais un pas en arrière. Je te contemple avec stupéfaction et reste un moment sans dire un mot…

– D'émotion, de joie? coupe Michel,

– Non, pas de joie, de dé-ses-poir! répond Luce d'une voix terrible.

– Pourquoi? demande son frère interloqué.

– Tu verras. Alors je lui dis: "Je ne veux pas de royaume, ni de richesse ni de couronne. Je voudrais être pauvre, misérable, je voudrais errer dans les rues avec toi, en tendant les mains aux passants, je voudrais m'humilier devant eux. Je t'aimais mendiant, et maintenant que tu es prince, je ne t'aime plus." Hein! tu ne t'y attendais pas à celle-là.

– C'est tout à fait illogique. Jamais une dame ne refusera d'être une princesse!

– Enfin quoi, si elle est ainsi? Elle a un caractère

comme ça, tu comprends.

– Eh bien! si tu veux, je lui réponds que je me ferai mendiant pour elle, que j'abandonne mon royaume…, dit Michel, pas très enthousiasmé.

– Peine perdue, mon cher, elle en veut un authentique, un qui a souffert, un qui est malheureux.

– Je fais grève alors! dit Michel, en arrachant sa couverture.

– Comment, tu ne veux pas jouer? Ne sois pas si susceptible. Amateur va, a-ma-teur! répéta Luce, comme si c'était la pire des injures. (Elle ne savait d'ailleurs pas très bien ce que voulait dire ce mot.)

– Amateur toi-même! Tu as toujours l'air de te prendre pour la directrice, toi!

A ce moment-là, Prospérine fit irruption dans la chambre avec un seau d'eau et une brosse.

– Allez-vous-en d'ici, je dois récurer! dit-elle d'un ton brusque. Michel! est-ce toute l'année carnaval?

Elle était ainsi malgré son adoration pour les enfants Alvaine. Mais son arrivée suffit à réconcilier les deux acteurs.

– A la salle à manger, papa cause avec un monsieur, impossible d'y aller.

– Et si on descendait sur la terrasse, devant la maison? proposa Luce.

– Bonne idée! C'est le décor qu'il nous faut: maison, rue, ciel! s'écria Michel ravi.

– Oh!…

Et Luce revit en pensée la passante inconnue, telle qu'elle lui était apparue le matin même.

"C'est à elle que doit ressembler la merveilleuse dame", se dit-elle.

Bientôt elle rejoignit son frère. Elle avait enfilé une ancienne robe de voile, à volants froncés, que Mme Alvaine portait jeune fille. La taille, beaucoup trop longue, était remontée à l'aide d'une ficelle et sur les épaules un rideau de dentelle se nouait. Elle avait réussi à dénicher une capeline aux ailes gondolées dont la calotte lui tombait jusqu'aux yeux. Elle marchait avec précaution de peur de s'empêtrer dans la jupe traînante qu'elle relevait d'une main maladroite.

– Pas mal, approuva Michel d'un air condescendant.

Quand les comédiens eurent assez déclamé, pirouetté, fait des révérences avec le plus grand sérieux, ils se regardèrent et tous deux éclatèrent de rire.

– C'est vraiment dommage qu'il n'y ait personne pour nous admirer, dit Michel, en prenant une attitude mélancolique.

– Si seulement nous étions plus nombreux pour jouer. Ça devient lassant à la fin d'être seuls.

– Oui…, soupira-t-il encore.

– Mais qui? Mes amies d'école ont de la peine à venir jusqu'ici, elles n'aiment pas marcher. Et puis elles trouveraient peut-être tout très sot. Si tu savais les idées qu'elles ont! s'exclama Luce découragée.

Se ressaisissant bien vite, elle esquissa une arabesque:

– Allons, Monsieur le prince! Je vous invite pour un menuet.

Avec des gestes gauches, des poses sans grâce, ils dansèrent et leurs talons sur les pavés faisaient un bruit de claquettes.

– Bravo, bravo!

Des battements de mains.

Luce et Michel s'arrêtèrent surpris, très gênés.

– Qu'est-ce que c'est?

Il n'y avait personne autour d'eux et pas un visage aux fenêtres, et sur le chemin pas une âme.

Des rires, qui parurent diaboliques aux deux enfants, retentirent.

D'où venaient-ils?

Leurs regards furent attirés par une tache rousse qui émergeait du mur. Ce n'était peut-être qu'une touffe d'herbe sèche. Mais la touffe bougea et deux yeux rieurs, un nez en trompette, une bouche apparurent. Et de chaque côté de cette tête, deux têtes blondes surgirent aussi.

– Les Marquirotte! crièrent Luce et Michel.

LES MARQUIROTTE

6

Ils ne les connaissaient que de vue. Cette famille avait une étrange réputation, et d'abord c'étaient des étrangers, personne ne savait d'où ils étaient venus. On disait le père alcoolique et les enfants passaient pour des maraudeurs et des menteurs. Ils ne frayaient guère avec les gens du pays qui semblaient les redouter. Une chose certaine c'est qu'ils tiraient le diable par la queue.

Au milieu des vignes, non loin de chez les Alvaine, se haussait une maison d'une couleur rose indéfinissable, étroite et longue comme une boîte d'allumettes. Là, habitaient les Marquirotte.

Sur les murs craquelés, suivant la manière dont on les regardait, des figures grimaçantes prenaient vie. Toute la peinture des volets avait coulé et fardait de noir l'oeil fatigué des fenêtres. Sans le soleil de ce pays, cette demeure eût été sinistre, mais il la magnifiait et lui donnait des reflets de rhodite.

Cette maison jouait un grand rôle dans les rêves de Luce. Elle avait alors des proportions inouïes, les étages se multipliaient, les fenêtres et les portes devenaient de plus en plus nombreuses, des hardes suspendues à des ficelles s'entrecroisaient dans tous les sens, et des escaliers raides montaient très haut sans pouvoir atteindre le toit. Luce la contemplait d'en bas, la tête penchée en arrière, et se sentait submergée, écrasée par cette façade vivante.

Les paysans la prétendaient hantée.

– Rien qu'à la voir, cette maison, on sent qu'elle est maudite…, disaient-ils d'un air convaincu.

Ils racontaient qu'une vieille dame très riche (elle possédait toutes les vignes d'alentour) et d'une avarice extrême y avait enfoui un trésor. Mais un jour qu'elle descendait à la cave pour y compter ses écus, son cou fut pris dans un fil de fer accroché au-dessus des marches, et elle demeura là, pendue.

Et depuis sa mort, on l'entend la nuit frapper aux portes et aux carreaux, monter et descendre les marches, errer de-ci de-là, à la recherche de son trésor.

Les locataires fuirent les uns après les autres. Et pendant longtemps plus personne ne voulut habiter cette maison. On la laissa presque tomber en ruine.

Mais voilà qu'un soir – il y avait de cela quatre ans – Luce vit de loin une des fenêtres éclairée. Elle courut affolée vers son père:

– Les revenants ont une lumière dans la maison rose, regarde!

Des gens qui passaient sur le chemin s'arrêtèrent surpris et se signèrent.

Le lendemain, tout le monde entendit les "revenants" remuer des meubles, taper des tapis, secouer des balais, ce qui rassura.

Ces nouveaux arrivants devaient être des personnages bien extraordinaires pour avoir ainsi le courage de vivre dans cette bicoque si mal famée.

Ils ne se plaignirent en tout cas jamais d'avoir été dérangés par des êtres surnaturels. Peut-être redoutaient-ils moins ces derniers que les naturels du pays?

Les trois enfants Marquirotte étaient maintenant juchés sur le mur des Alvaine.

– Vous jouez au théâtre? Nous, on adore ça! cria la fille aux cheveux roux.

Elle avait des yeux verts qui rappelaient ceux des chats. C'était la plus hardie. Les deux garçons se tenaient prêts à déguerpir au premier signal, une jambe passée de l'autre côté.

Luce, qui admirait secrètement les parias de la maison maudite, n'hésita pas une seconde.

– On avait justement besoin d'acteurs, vous tombez bien, dit-elle.

– Et de spectateurs aussi, ajouta Michel.

Ce jour-là, l'amitié des Alvaine et des Marquirotte fut scellée.

Et le lendemain, Luce et Michel allèrent pour la première fois chez eux. On leur fit monter un escalier qui semblait mener à des galetas, et ils arrivèrent dans un corridor biscornu où des portes s'ouvrirent sur des chambres, ni carrées ni rondes mais de formes bizarres.

Le rêve de Luce continuait.

Mme Marquirotte surgit tout à coup. Avec des gestes maniérés et des susurrements admiratifs, elles pressa les deux enfants Alvaine sur son coeur.

– Oh! que cela m'est doux de faire votre connaissance, jolis petits voisins!

Luce et Michel ahuris souriaient et la regardaient.

C'était une femme d'environ trente-cinq ans. Elle avait dû être assez belle mais les muscles de son cou, exagérément gros, et sa bouche tirée aux commissures lui donnaient une physionomie désagréable. Ses cheveux d'un blond fade étaient frisés comme ceux des poupées de quatre sous.

– J'aime voir de ma fenêtre votre château…

– Ce n'est pas un château, dit Luce.

– Mais oui, pour moi c'en est un. Il me fait toujours songer à une histoire, une très belle histoire!

Elle avait perdu durant ses effusions un peigne incrusté de faux brillants. Michel le ramassa et le lui tendit.

– Qu'ils sont bien élevés, s'écria-t-elle, qu'ils

sont racés et fins, ces enfants…

– Sais-tu ce qu'on veut faire aujourd'hui? interrompit sa fille aux yeux de chat.

– Quoi donc Céline?

– Nous allons fouiller toute la maison pour y trouver le trésor!

Et avec un hurlement de victoire, elle dégringola les marches, entraînant à sa suite ses frères et ses nouveaux amis.

– Tout d'abord la cave, avait-elle dit.

Très voûtée, très grande et pas sombre du tout. Un escalier extérieur, s'enfonçant dans le sol, y conduisait.

– Voila les trois tombeaux! annonça Céline, du ton supérieur des guides dans les musées.

Elle montrait trois constructions en pierre et en ciment. Luce admira le sang-froid de Céline qui allait et venait comme un dame faisant les honneurs de son salon.

– Mais qui est enterré là? demanda-t-elle.

– L'un contient la propriétaire du trésor, et les autres… les autres ce sont ses maris, je pense, ajouta Céline.

Entre les pavés un peu d'herbe poussait, et au bord d'une petite mare souterraine deux grenouilles faisaient un concours de sauts en longueur.

Les enfants cherchèrent partout, soulevèrent des

pierres, creusèrent des trous, sondèrent les dalles avec des baguettes.

Pas de trésor.

Cet échec les étonna. Ils étaient si persuadés qu'ils trouveraient tout de suite. Et ils rentrèrent bredouilles, mais non dénués d'espoir, dans la chambre à manger.

M. Marquirotte était assis près de la table. Il examina les nouveaux venus avec ses yeux rouges et ne prononça pas une syllabe. Il avait une peau verdâtre et une grande moustache roussâtre, tombante. Sur son crâne et son front, ses cheveux plaqués en mèches pointues étaient poivre et neige.

Son épouse fit une entrée gazouillante.

– Et bien! mes chers, l'avez-vous trouvé?

– Qu'est-ce qu'ils avaient à trouver? ricana M. Marquirotte.

– Ah! tu ne sais pas? Ils se sont mis à la recherche du trésor. Celui que la pendue avait caché dans la maison. Voyons, tu connais l'histoire?

– Turpitudes! laissa tomber M. Marquirotte.

– Moi, j'y crois! Et la foi fait les miracles.

Elle s'installa dans un fauteuil où la trame grise apparaissait entre les fils carmin de la tapisserie. Le strass de son peigne étincelait dans la fadeur de sa chevelure, et un éclat inaccoutumé rendait ses yeux presque beaux.

Elle rêvassa un moment, puis d'une voix extasiée elle dit:

– Je vois, je vois… Ce sera beau. J'aurai une jolie berline et deux chevaux bais. Oui, ça fait plus noble qu'une automobile et c'est moins dangereux. Et mes armoires seront pleines de robes avec de grands cols de fourrure à la Médicis. Toi, Céline, tu seras étoile de cinéma, tu porteras un manteau d'astrakan et de superbes bottes pour te protéger de la neige. Et mes deux fils, eux, iront en ville pour suivre de hautes études.

Oh! je vois, je vois… Dans notre demeure, il y aura toujours des fleurs dans des vasques noires…

– As-tu fini de divaguer? Crois-tu que le bonheur soit fait pour nous? interrompit d'un ton excédé son mari.

– Oh! tu n'es pas gentil! Laisse-moi être heureuse un tout petit peu, au moins en imagination, surtout aujourd'hui…, répondit Mme Marquirotte.

Mais son exaltation était tombée et ses yeux redevenaient ternes.

Luce la regardait. Soudain elle frémit.

Sur ce visage grotesque, une expression de haine venait de se dessiner. Le rictus de la bouche s'amplifia et devint amèrement ironique:

– Une merveilleuse petite dame blanche passa… oui, oui, dit-elle d'une voix chantante. Un monsieur lui fit la cour et puis le monsieur s'en alla. Trois p'tits tours!

Mme Marquirotte parlait maintenant, l'air triste et fatigué, sans voir personne. On eût dit qu'elle s'adressait à un être invisible, placé très loin en face d'elle,

– … Pauvre jeune femme, toute seule, si fragile et déjà méprisée, montrée du doigt. Mais ils vont la tuer!

Luce tout de suite avait compris de qui il s'agissait. Elle écoutait sans perdre un mot.

Céline feuilletait *Mon Ciné* plein de photographies bleuâtres d'acteurs. Elle paraissait complètement absente de ce qui se tramait dans la chambre. Ses deux frères, accroupis sur le plancher, se donnaient des coups de poing en silence. Et Michel regardait tour à tour chacun des personnages de cette scène.

– Je ne vois pas pourquoi cette fille, cette pimbêche, te trotte tout le temps par la tête! dit sèchement M. Marquirotte.

– Sais-tu seulement de quel pays elle vient? se moqua tout à coup l'un des fils.

– Comment le saurais-je? soupira la mère.

– Et bien alors! tais-toi et oublie-la!

Et sur cette grossièreté le garçon sortit de la pièce. Mme Marquirotte ne broncha pas. Elle paraissait épuisée et même incapable de faire un geste.

Les enfants s'échappèrent furtivement, un à un.

Et quand Luce respira l'air vif du dehors, elle éprouva un grand soulagement.

LA DAME SUR LE CHEVAL BLANC

7

Luce était descendue à la ville pour y porter un paquet à la poste que lui avait confié son père. Et elle revenait maintenant, impressionnée par le calme de ce beau soir d'avril qui sentait déjà l'été.

La route tournait au-dessus de la plaine. On voyait le tracé des rues étroites où quelques lumières amassaient déjà de l'ombre autour d'elles. La montagne était violette et le ciel encore très clair.

Un bruit de sabot résonna sur la route.

Montée sur un cheval blanc, une jeune femme vêtue d'un costume d'amazone et coiffée d'un large feutre passa devant la petite fille.

Le regard extasié de Luce l'amusa peut-être; toujours est-il qu'elle lui envoya, du haut de sa monture, un joli baiser du bout des doigts.

Le lendemain, après la classe, Luce s'échappa dans les prairies. Elle courait folle de bonheur sur le sentier à peine indiqué entre les longues tiges vertes.

De l'herbe! de l'herbe! Elle paraissait miraculeuse à la fillette qui l'avait désirée tout l'hiver. Le vent passait dessus et lui donnait des reflets et le mouvement d'un lac.

Mais elle sentit ses pieds devenir tout froids. Ses sandales pleines d'eau, elle fit de grandes enjambées et atteignit enfin un endroit sec. Elle était habituée à ce genre de surprise dans ce pays où la pluie ne suffit pas pour arroser les prés. On les irrigue à l'aide de ruisseaux.

"Ça sèchera vite!", se dit-elle, et elle continua sa galopade de cheval sauvage dans la steppe.

Puis elle vit tant de fleurs autour d'elle, qu'elle s'arrêta.

Il y avait les esparcettes, les grosses pattes-de-chat jaunes, les véroniques bleues, les petits lis parfumés et toute la nuée des marguerites.

– Qu'elles sont belles! Qu'elles sont belles! répétait Luce tout haut.

Obéissant à une idée soudaine, elle se pencha et se mit à cueillir, cueillir… Au bout d'un moment, elle tenait dans ses bras une énorme gerbe aux couleurs vives et plusieurs papillons vinrent voleter dessus.

Et Luce redescendit dans la petite ville.

La rue était chaude et les stores des magasins baissés. Seules, les galeries des maisons patriciennes gardaient de la fraîcheur. Des gamins trempaient leur tête dans la fontaine de la place. Un chat roux s'allongeait sur le rebord d'une fenêtre; et sur les balcons aux grilles de fer forgé, des femmes habillées de noir tricotaient.

"On m'a dit que c'était ici: à *l'Hôtel des Voyageurs...* "Et Luce poussa une lourde porte de bois peinte en rouge foncé. Elle se trouva dans un escalier obscur; les marches en forme de douves de tonneaux avaient dû supporter le frottement d'in- nombrables semelles. Et Luce saisit sans y prendre garde un bout de corde; le son aigu d'une clochette se fit entendre.

Des bruits de pas. Elle tressaillit, elle n'avait pas eu le temps de se préparer, elle ne savait plus ce qu'il fallait dire.

Un peu de lumière tomba sur le visage de Luce. Et devant elle, se tenait une mince, très mince dame.

– Que voulez-vous?

Cette voix, Luce l'aima tout de suite mais elle ne sut que répondre.

– Ha! fit soudain la dame en désignant les fleurs. Dans cette exclamation il y avait une grande stu- peur, presque de l'effroi.

– Qui donc vous envoie?

– Personne. Je suis venue... je suis venue vous apporter ça.

– A moi?

Luce sentit une main prendre la sienne. Cette main lui fit traverser le corridor et l'introduisit dans un salon aux meubles dorés.

– Merci! disait la dame. Que c'est aimable! Une petite fille vient m'apporter des fleurs! A moi? Mais je ne peux pas comprendre.

Luce la regardait. Elle s'étonnait de voir à la place de la dame *irréelle et merveilleuse* une très jeune fille au regard enfantin, aux vêtements sobres. Un instant elle crut s'être trompée.

– Tiens! Mais je me rappelle vous avoir vue hier soir. Je passais à cheval…

– Oui, dit Luce.

– Où donc avez-vous cueilli ce ravissant bouquet? demanda la voix fluide.

– Dans les prés.

– Je ne savais plus qu'il y avait de si jolies fleurs dans les prés. Oui, elles sont tellement plus vraies que les autres… Et elles n'ont pas de ces parfums lourds qui empoisonnent l'air.

– …

– Alors, vous avez voulu me faire plaisir, et vous êtes venue jusqu'ici? C'est un événement si bizarre, inattendu pour moi, disait la jeune fille pensivement.

– J'ai voulu vous apporter un peu de la gaieté des vergers…, balbutia Luce. Vous êtes peut-être triste.

– Ah! vous avez eu pitié! s'exclama l'inconnue d'un ton amer.

– Ce n'est pas ça! Je vous ai trouvée si belle et vous aviez l'air si seule…

Mais la "dame" ne parlait plus et restait immobile. La vie qui l'animait un instant auparavant semblait l'avoir abandonnée.

Luce se leva pour prendre congé.

Dehors, la petite rue flambait de soleil et rien n'avait changé. Les tricoteuses étaient toujours à leur balcon, et le chat roux dormait.

Luce se retourna et leva la tête. Quelqu'un lui faisait un signe amical, là-haut dans l'embrasure d'une fenêtre aux rideaux rouges.

"Oh! belle dame que vous êtes gentille!" Mais une voix sévère la fit sursauter.

– Depuis quand connais-tu cette femme-là?

Prospérine arrivait derrière elle, chargée d'un panier plein de provisions.

– C'est mon amie. J'ai été lui faire une visite! répondit Luce d'un ton de défi.

– Non? Mais à quoi penses-tu! Aller chez une femme pareille! Je te défends, entends-tu, je te défends de lui dire seulement bonjour.

– Et moi, je te défends de parler ainsi d'elle! répliqua Luce. Tu lui lancerais aussi des pierres si tu pouvais. Ah! tu es comme les autres, toi!

Et sans écouter les remontrances de Prospérine, elle répéta à plusieurs reprises:

– Que les gens sont méchants, que les gens sont méchants! Ils me dégoûtent.

Puis elle dit encore:

– La seule qui ne soit pas comme vous tous, c'est Mme Marquirotte.

– Ah! celle-là aussi, tu peux te vanter d'avoir fait sa connaissance! s'écria Prospérine avec un petit rire.

Et elle disparut.

LA FOIRE DE PRINTEMPS

8

Mais deux jours après, Luce en retournant à l'école a rencontré beaucoup de petits troupeaux de vaches qui se dirigeaient vers le haut du bourg, à l'ouest, et partout il y avait des sons de clochettes.

Et quand ils sont ressortis de l'école, tous les enfants ont regardé la foire.

La foire.

Elle prend l'avenue entière qui traverse la ville, monte encore plus loin le long d'un mur chargé d'anneaux de fer rouillé. C'est là que le bétail s'aligne. Un taureau noir gratte le sol, des mulets qui regrettent leurs précipices se roulent dans la poussière et se couvrent de taches blanches, d'autres hennissent violemment et ruent. Les chevaux, moins nombreux, s'ennuient aussi mais ils gardent une tenue respectable que leurs cousins pauvres ignorent. Les cochons sont encore les plus bruyants et les plus mal élevés.

Près d'une barrière est attaché un très grand bouc aux cornes lourdes et recourbées. Les dames de la ville qui passent devant lui se bouchent les narines d'un mouchoir de dentelle et font les dégoûtées.

Un veau ne veut pas se laisser emmener. Le garçon le pousse de toutes ses forces et même lui empoigne les jambes, et les femmes tirent sur la corde.

Que d'exclamations, de mots sonores, de rires, de bruits de sonnailles, de meuglements désespérés.

Sous les marronniers de l'avenue, des petites vieilles noires et ratatinées grillent des châtaignes. Les flammes très rouges jaillissent par les trous du poêle et une bonne odeur s'en dégage. Luce en achète un cornet pour six sous.

Un mulet a rompu sa chaîne. Et le voilà qui galope follement dans l'espace resté libre au milieu de la rue. Les filles poussent des cris apeurés, les gamins détalent, les gens se bousculent. Un enfant emballé dans un châle vert pleure.

Mais le fugitif est rattrapé. Les conversations et les marchandages interrompus reprennent leur cours.

Luce et ses amies s'arrêtent devant les étalages. C'est là que les paysans achètent la plupart de leurs habits. De jeunes femmes touchent respectueusement les fichus à fleurs, les tabliers de soie. Elles ont l'air intimidées quand la marchande insiste trop; elles sont heureuses de voir toutes ces choses, mais ça coûte cher.

Un cercle se forme autour d'un amas de souliers, fins de séries, posés par terre. Le camelot exhibe une paire de très hautes bottines noires à boutons.

– Voici, Mesdames, des chaussures d'une élégance incontestable et d'une solidité sensationnelle!

Et s'adressant à l'une des auditrices:

– Quand vous les mettrez, Mademoiselle, tous les jeunes hommes vous regarderont. Allons, décidez-vous! C'est pour rien.

Là-bas, un immense parapluie rouge attire une foule de curieux.

Les écolières ont de la peine à se frayer un passage à travers les spectateurs. La voix populaire et persuasive de Philibert sonne dans un haut-parleur:

– Voyez ces boutons de manchettes en or! Et voyez cette paire de bretelles si élastiques qu'elles pourraient servir de fronde pour tuer un nouveau Goliath! Et encore ces lacets inusables, cette cravate inchiffonnable? Tout ça pour deux francs, et en plus je vous fais cadeau d'une savonnette extrafine! Tenez jeune homme!

Avec des gestes de grand seigneur généreux, Philibert tend son paquet.

– Et maintenant une ceinture de cuir, première qualité – vous pouvez aussi vous en servir comme fouet! –, un canif qui trancherait des pierres et un chapeau pur chic qui a le pouvoir d'attirer les jolies filles. Hé! là-bas, l'homme intelligent!

Les interpellés n'ont pas toujours l'audace de refuser. Le ton sans réplique les déconcerte et les tente.

– C'est vous qui y gagnez! C'est nous qui y perdons! Messieurs, Mesdames, vous regretterez toute votre vie d'avoir laissé passer une si belle occasion!

Mais les petites filles préfèrent le marchand de ballons. Il vend encore toutes sortes de jouets: coqs-sifflets aux plumes colorées, pantins à ficelles et des petites poupées de porcelaine blanche, toutes raides, aux yeux fixes.

Dans le pré en contrebas de la route, il y a des baraques foraines et un cheval blanc qui broute.

– Mais, dit Luce, je le reconnais… c'est celui que montait la dame!

Personne ne l'a entendue car ici la musique règne; et les pointes des barques-balançoires touchent la toile rayée et les voltigeurs tournent sans relâche. Luce est agrippée des deux mains aux barres de fer. Plaisir et peur d'être ainsi lancée dans le vide.

Deux tirs-pipes exposent leurs statues de plâtre, leurs chromos épinard, les fleurs en papier, leurs ours en peluche. Un petit cirque porte une couronne de décorations: des cygnes, des châteaux.

– Tiens, ça qu'est-ce que c'est?

Les petites filles se sont arrêtées devant une pancarte:

THÉÂTRE DE MARIONNETTES
Représentations à 17 heures et 20 heures

Un peu à l'écart mais bien en vue sont les roulottes. Hautes sur roues et hautes en couleur, plusieurs reviennent chaque année. Les enfants les connaissent et des conversations s'engagent entre eux et les bohémiens.

Un vieux monsieur à tête pointue dresse un singe en veste de brocart et ils regardent avec respect cette démonstration gratuite.

– Où est Lilette? demandent les écolières à une femme brune en train de faire une lessive.

Lilette, c'est une petite fille de six ans, l'étoile de la troupe. Elle est acrobate et danseuse. Quand elle marche, elle donne l'impression d'avoir des os en caoutchouc.

– Lilette? Elle est dans la roulotte, Mesdemoiselles! répond la femme interpellée. Vous voyez, je lave sa robe.

La robe de l'étoile, en organdi jaune, taille courte et quatre volants, se tasse sous le savon.

– Lilette? Pourquoi te caches-tu? crient les fillettes en tournant autour de la roulotte.

– Viens nous dire bonjour. Oh! tu n'es pas gentille aujourd'hui! insistent-elles.

Un rideau bleu a bougé derrière la fenêtre carrée. Et une jolie figure aux yeux clairs est apparue! Mais elle disparaît très vite.

– Lilette, on voudrait te voir!

Pas de réponse.

– Tu es méchante. Pourquoi boudes-tu?

Alors la porte lentement s'est entrouverte, et une petite fille toute nue s'est montrée. Et la porte vite se referme.

– Hi! Lilette. Elle est toute nue!

La porte s'ouvre de nouveau.

– Tu n'as pas honte? crient maintenant les écolières d'un ton scandalisé.

Là-bas, suspendue à une corde, la robe jaune très propre sèche au soleil.

Luce a très envie d'aller voir le Théâtre de Marionnettes, mais elle n'a plus d'argent. Heureusement, arrive Michel qui a juste de quoi lui offrir le spectacle.

Ils entrèrent dans la cabane de toile et s'assirent sur l'un des bancs. Le rideau se leva.

La scène, qui paraissait minuscule au premier abord, prit peu à peu d'autres proportions. Les ficelles devinrent invisibles et les personnages de bois commencèrent à vivre.

Un cheval noir galopait par saccades, ce qui secouait fort la petite demoiselle assise sur son échine. Il semblait faire des lieues et des lieues, car le décor mobile changeait continuellement: des arbres ronds où étaient dessinés des oiseaux; une rue de ville avec des maisons toutes pareilles, aux façades très étroites et pointues mais chacune peinte d'une couleur différente; une mer verte où voguaient des voiles en triangle; des collines en papier doré.

L'amazone tant secouée portait une robe indigo, bordée de cygne. Sur sa jolie tête un hennin vacillait, et Luce craignait qu'elle ne le perdît en route.

Le rideau tomba.

Quand il se releva, le décor représentait la cour d'un château. Au fond, six arcades découpées dans du carton et, de profil, un escalier. Sur l'une des marches était assis un prince vêtu d'un habit de velours noir.

Près de lui, se pavanait un grand paon aux longues plumes couvertes d'yeux.

Soudain, le cheval réapparut par petits sauts grotesques. Il s'agenouilla drôlement et la jeune fille descendit de sa monture. Elle s'avança jusqu'au bas de l'escalier, elle fit deux révérences très raides.

Alors, et c'est à cela que les spectateurs s'attendaient le moins, la demoiselle se mit à danser avec de petits gestes mécaniques pleins de charme. La jupe se gonflait en forme d'entonnoir et découvrait ses pieds chaussés de minuscules babouches.

Jamais Luce n'avait vu de si jolies choses. Sa joie était si grande qu'elle ne savait plus où elle se trouvait ni qui elle était.

Elle restait figée sur son banc et Michel dut venir la tirer par le bras.

– C'est fini? Quel dommage! dit-elle.

Et elle ne prononça plus un mot.

LE MONTREUR

9

Le même soir, Luce se retrouva sur la place des baraques foraines.

Le Théâtre de Marionnettes n'avait pas de lumière. Très déçue, elle s'approcha et frôla le rideau de l'entrée… Elle s'attendait à quelque chose, elle n'aurait pas pu dire quoi. L'étoffe était douce et frémissante, Luce l'écarta un peu mais l'obscurité régnait à l'intérieur.

Où étaient-ils les petits personnages de la veille? Ils l'avaient abandonnée, et maintenant elle devait rester toute seule avec une étrange envie de pleurer.

A gauche du théâtre, une roulotte stationnait, éclairée par un lampion suspendu sous l'auvent.

Luce ressentit une secousse et tourna la tête de ce côté. Sur le pas de la porte grande ouverte, un homme était assis, jambes pendantes, et la contemplait.

Ses traits impassibles semblaient rire d'un rire silencieux. Il avait sur chaque joue un grand triangle peint en rouge, et ses yeux bridés étaient deux taches sombres dans la forme inquiétante de son visage. Il portait un pull-over à losanges colorés et un bonnet noir de pierrot, il avait vraiment une allure singulière.

– Vous étiez venue pour les marionnettes? demanda-t-il à Luce.

– Oui. Pourquoi ne jouent-elles pas ce soir?

– Elles avaient besoin de vacances pour se reposer, répondit-il.

– Alors, il n'y aura rien ce soir? Que c'est triste… Je m'étais tant réjouie!

– Je regrette, je ne puis plus donner de représentations ces jours. Regardez.

Et il tendit vers Luce sa main entourée d'un bandeau blanc.

– Ah! c'est vous le montreur! dit-elle en s'avançant vers lui.

Et désignant le bandage:

– Vous êtes blessé. Ça vous fait mal?

– Non, ce n'est rien. Mais il m'est impossible d'articuler les doigts. Ainsi vous comprenez, pas moyen de manoeuvrer ma petite troupe…, ajouta-t-il avec un bon sourire.

Luce releva les yeux et le regarda très attentivement. Ce sourire surprenait dans cette figure rendue pitoyable et ridicule par le maquillage.

– Si je suis ainsi peinturluré, dit-il en réponse à l'étonnement de Luce, c'est parce que j'ai remplacé un clown absent cet après-midi au cirque. Et j'ai oublié de me laver les joues. Mais je préfère mes marionnettes…

– Comme ça doit être difficile de leur faire faire tous ces gestes! murmura Luce.

– C'est très amusant! expliqua le montreur. On a l'impression de créer des êtres humains, et non seulement de leur donner la vie et la parole, mais une âme aussi. Ce ne sont plus de petites machines perfectionnées que l'on met en mouvement, mais bien des individus qui ont leur mentalité, leur caractère propre.

– C'est tout à fait ce que j'ai éprouvé en les voyant. On les sent vivre, c'est merveilleux!

– Et leur personnalité est parfois si forte, continua le jeune homme, que ce n'est plus moi qui les dirige et invente l'action, mais ce sont eux qui me dictent leur volonté. La pièce que j'ai composée au préalable se transforme, au fur et à mesure, sur la scène. Mes marionnettes créent le drame, elles ne m'obéissent plus.

Il se tut un instant, puis reprit.

– Les personnages des romans agissent parfois de la même façon vis-à-vis de l'écrivain.

Luce écoutait, de plus en plus intéressée.

– Et j'ai aimé vos décors aussi! dit-elle. Ils nous mettent si bien dans l'ambiance… Est-ce vous qui les faites?

– Oui, je les monte à l'aide de morceaux de cartons et de papiers, de coups de ciseaux et de quelques pots de colle et de couleurs. C'est très simple à fabriquer. Bien des gens prétendent que le décor ne doit jouer qu'un rôle très minime. Je suis persuadé, au contraire, qu'il est des plus importants.

Puis il demanda:

– Voulez-vous faire connaissance avec deux ou trois de mes acteurs? Je vais vous les amener.

– Oh! oui, je serais si contente. Merci! dit Luce.

Le jeune homme entra dans la roulotte. Il en ressortit peu après, tenant par les ficelles trois marionnettes de bois peint, vêtues de leurs étranges et délicieux habits.

– Qu'elles sont belles! s'écria la fillette. Voilà la petite demoiselle qui perdait son hennin…

– Celle-là est une femme ambitieuse, assura le montreur. Elle ne devait jouer d'abord qu'un rôle tout à fait secondaire dans ma pièce, et cette coquine a tellement intrigué que pour finir elle en est devenue le personnage central.

Il l'éleva très haut sous la lumière du lampion, l'examina et dit d'un ton inquiet:

– Mais qu'a-t-elle ce soir? Elle est toute drôle…

Il la lança en l'air et d'une main adroite, la rattrapa. Il suspendit ses pantins à un crochet et revint s'asseoir sur le rebord de sa roulotte.

Il regarda longuement Luce et elle fut très surprise de sentir tant de douceur dans les yeux posés sur elle.

De temps à autre, des applaudissements sourds transperçaient la toile vert-de-gris du cirque voisin et une fanfare annonça un entracte.

– Vous voyagez beaucoup? dit-elle.

– Oui, je connais maintenant plusieurs pays, et le Valais est un de ceux que je préfère. Avant d'entrer dans cette vaste vallée, on voit tant de hautes montagnes l'entourant que l'on se demande dans quel endroit sauvage et isolé du reste du monde on va se perdre. Et…

Il s'arrêta. Puis:

– J'aime votre petite ville. Ces rochers violets, et ces pins, ces longues, longues allées de peupliers!…

– Oh! oui, moi aussi je l'aime tant ce pays, si fort que je ne puis le dire! bredouilla Luce très émue.

Elle avait fini par s'asseoir, elle aussi, sous l'auvent de la roulotte. Leurs quatre jambes pendaient entre les deux roues, et celles du jeune homme étaient beaucoup plus grandes que les siennes.

– Mais où donc habitiez-vous, avant?

– Avant quoi?

– Mais avant…

Luce se tut, très intimidée. Qu'avait-elle donc insinué si innocemment?

– J'habitais une ville pas loin d'ici. J'étais étudiant. Je me passionnais pour une quantité d'idées dont je ne me souviens plus, ce soir. Surtout ce soir. Car j'ai rencontré quelqu'un...

Mais sa voix prit un ton ironique, presque amer:

– Je fais partie maintenant des gens du voyage... Et l'on se méfie toujours de ces gens-là. Oui, il vaut mieux ne plus y songer.

Ses yeux croisèrent ceux de la fillette. Il sursauta comme s'il ne l'avait pas vue jusqu'à présent.

– Mais comment, comment êtes-vous devenu ça? fit-elle.

Et Luce montra la roulotte et le petit Théâtre de Marionnettes.

– Comment? Voilà... Mais où en étais-je? Je ne sais plus ce que je viens de dire. Ah! oui!... Qu'ai-je donc ce soir? Je vous raconte des choses...

Il la regarda bizarrement et lui fit une grimace qui rendit sa figure encore plus lamentable. Puis il dit:

– Je sais, oui, je sais pourquoi.

Mais Luce n'osait plus demander d'explications.

– Et comment je suis devenu nomade? reprit le jeune homme. Voilà, je n'en pouvais plus, j'étais exaspéré... Et j'ai voulu fuir... pour me mettre à la recherche de moi-même. J'ai tout lâché... Je suis parti. Non, il valait mieux ne plus rester, non je ne pouvais plus...

Il insistait sur ces derniers mots comme pour chasser un vague remords.

– Et vous êtes-vous retrouvé? questionna Luce.

Il n'entendit peut-être pas, car il poursuivit:

– Chacun de nous s'était fabriqué une attitude, et toute une échelle de sensations et d'arguments sur laquelle nous grimpions avec l'air peu convaincu des singes exécutant un numéro difficile.

Maintenant il s'écoutait parler et il devenait un peu pédant. "Quel âge peut-il avoir?", se demandait Luce.

Probablement dix-sept à dix-huit ans, mais pour elle c'était presque un adulte. Il parlait encore et elle ne comprenait plus très bien. Parfois il s'interrompait, haussant nerveusement une épaule. Il avait un petit rire désespéré et sceptique qui semblait dire: "A quoi bon?" Et ses yeux brûlaient.

"Il a de la fièvre!" pensa Luce en observant la main bandée.

– Avez-vous mal?

Il eut l'air surpris.

– Mais non, je ne sens rien. Ne vous occupez pas de ça.

– Je crois que je dois partir maintenant, dit-elle.

– Restez encore un peu, je vous en supplie… Restez!

Il y avait presque de la détresse dans sa voix quand il murmura encore:

– Je vous ennuie peut-être.

– Non.

– Mais vous ne dites rien. Racontez-moi aussi quelque chose de vous.

– Je préfère vous écouter, répondit-elle gravement.

Le jeune homme se taisait. Luce entendit de nouveau la musique endiablée du cirque.

– Vous reviendrez dans notre ville, n'est-ce pas?

– Oh! je n'en suis pas sûr. Je ne vais jamais deux fois au même endroit, j'ai envie de connaître beaucoup de pays.

– Alors… vous ne reviendrez plus?

Elle avait dit cela avec tant de désolation que le jeune homme en fut surpris.

– Mais vous en verrez certainement encore des théâtres de marionnettes, voyons! Et je sais qu'il en existe de bien plus beaux, vous verrez.

– Vous auriez mieux fait de ne pas venir!

– Comment? Vous êtes fâchée?

Luce resta silencieuse. Elle maltraitait avec ses doigts les deux longs rubans qui tombaient de son col; ils commençaient déjà à s'effilocher. Jamais elle ne s'était sentie si misérablement petite fille.

Mais elle toisa le jeune homme de haut en bas, et par esprit de vengeance elle lui lança:

– D'ailleurs vous, avec vos longs bras, vos longues jambes, votre long nez, votre drôle d'habit… vous ressemblez tout à fait à un pantin!

– On me l'a déjà dit. Et pas plus tard qu'hier soir!

Mais il ajouta d'un air sérieux:

– Nous sommes tous un peu le pantin de quelqu'un, et aussi le pantin de notre orgueil. Et alors c'est lui qui tire les ficelles.

– Notre orgueil?

– Oui… ou ce quelqu'un.

A présent, Luce avait le désir de s'en aller.

– Bonsoir, Monsieur, dit-elle en lui tendant la main. Je rentre à la maison.

– Bonsoir, Mademoiselle, dit le jeune homme en s'inclinant.

Cette séparation solennelle clôturait bien leur entretien.

Remontée sur la route, elle se retourna pour regarder la roulotte. La silhouette du montreur de marionnettes était restée dans l'encadrement de la porte. Il leva un bras comme pour un geste d'adieu.

Luce s'arrêta, tremblante… Mais elle le vit saisir le lampion au-dessus de lui et le rapprocher lentement de son visage qui se découpa avec une netteté singulière.

Puis la lueur s'éteignit. Il avait dû souffler la bougie et tout disparut dans l'obscurité.

UNE SÉRIE DE MYSTÈRES

10

Après Pâques, Michel partit au collège et Luce se trouva plus solitaire que jamais, malgré son affection pour les enfants Marquirotte. Mais à eux, elle ne pouvait pas tout confier: ils ne se passionnaient que pour les sports, les acteurs et les actrices de cinéma.

Depuis quelque temps, elle remarquait une transformation étrange chez son père.

Lui, jusqu'alors si peu enthousiaste, si maussade, devenait parfois d'une gaieté exubérante, une gaieté de gamin en vacances. Lui, d'habitude assez distant avec sa fille, commençait à lui témoigner de la tendresse. Il s'informait si elle était heureuse, si rien ne lui manquait. Ces attentions imprévues touchaient Luce, mais l'agaçaient aussi. Elles avaient quelque chose d'un peu crispé, d'un peu absent.

Le changement qui la frappait le plus chez M. Alvaine était son indifférence soudaine pour la politique et les journaux.

Quelle ne fut pas la surprise de Luce d'entendre son père, un soir, lui demander de lui prêter un volume de sa bibliothèque.

– Je ne sais trop ce qui pourra te plaire, lui dit-elle embarrassée.

– Donne-moi un roman d'amour.

Luce crut à une plaisanterie. Pas du tout, M. Alvaine avait parlé sérieusement.

Luce songeait devant la fenêtre ouverte de sa chambre. Ses pensées l'absorbaient à tel point qu'elle restait debout, immobile, le regard perdu dans les prés.

De temps à autre, elle se rendait vaguement compte que quelque chose d'anormal se tramait en dessous d'elle. Mais cela durait si peu qu'elle n'y prenait garde; et d'ailleurs, toutes les idées inachevées, les questions qui se bousculaient dans sa tête ne lui en eussent pas laissé le loisir.

Elle vit pourtant, sur la route, un jeune homme qui marchait très lentement. Il examinait d'un air inquisiteur chaque fenêtre de la façade. D'abord Luce ne lui prêta pas grande attention et ses rêveries la reprirent.

Mais les apparitions régulières du personnage finirent par l'intriguer. Elle saisissait de lui un détail, faisait une remarque, et parallèlement à ses pensées et sans en avoir bien conscience, tout un petit travail de repérage s'accomplissait. Le passant avait dû l'apercevoir et il la regardait avec une insistance étrange. Il lui souriait. Elle en fut presque irritée et se reprocha de rester ainsi à sa fenêtre.

Le jeune homme, sans se lasser, passait et repassait toujours. Il ne s'arrêtait pas et, tout en marchant, il tournait la tête du côté de Luce.

Elle s'éloigna de l'embrasure, puis revint s'y poster. Elle répéta plusieurs fois ce manège. Avec une singulière précision le jeune homme réapparaissait sur la route. Elle lui trouva une allure et surtout une physionomie démodées. Il se tenait mal, la tête penchée en avant, mais son visage était beau.

Un moment, elle le crut reparti. Elle rencontra soudain ses yeux marrons, levés vers elle. Il se trouvait tout près du mur, sous la fenêtre. Elle ne vit plus que son chapeau melon et la grande mèche de cheveux noirs qui en sortait. Une drôle de mèche cassée vers le milieu par un faux pli.

– Ah! dit-elle à voix haute. Mais c'est le montreur de marionnettes, c'est mon Pantin!

LE PANTIN NOIR

11

Luce mettait la table pour les repas que prépa-rait Prospérine. Il lui arriva désormais d'aller sou-vent jeter un coup d'oeil à la fenêtre. Elle écartait les rideaux à ramages et tirait le vitrage de tulle pour laisser place à son étroit visage.

Le grand réverbère éclairait la route et lui don-nait l'aspect moelleux d'un tapis de velours plein de fronces, de sinuosités et de creux d'ombre. L'herbe du pré prenait une couleur artificielle et les arbres semblaient couverts de petits morceaux de papier d'étain. C'était comme un décor de théâtre…

– Apporte-moi le saladier et un plat long! criait Prospérine de la cuisine.

– Oui.

Elle retourna vers la fenêtre. Alors le person-nage attendu fit son entrée. Mais qu'il était éton-nant! Entièrement vêtu de noir, avec, sous le noir de son chapeau melon, un grand visage pâle où brillaient les yeux largement fendus. Il avançait toujours un peu voûté et sa démarche lente impri-mait à son corps maigre un mouvement balançant.

Souriait-il encore? C'était plutôt un rire intérieur, un rire que seule Luce pouvait entendre.

Il venait de l'apercevoir derrière la vitre illuminée aussi par le réverbère, et tout en se promenant il la regardait.

Que lui voulait-il? L'inquiétude l'envahit, mais le passant avait disparu.

"Où veut-il en venir? Pourquoi surveille-t-il la maison avec des allures de détective? Et pourquoi, pourquoi ce mystérieux sourire? D'où vient-il? Qu'a-t-il fait de son Théâtre de Marionnettes?"

Tous les soirs à la même heure, Luce écartait le rideau et comme si ce geste avait un pouvoir magique, le personnage en noir se trouvait sur la route.

Ses allées et venues se répétaient avec régularité. Il disparaissait d'un côté, il reparaissait de l'autre. Entre-temps, Luce apportait un plat sur la table, rangeait les services en argent, posait les serviettes. Il semblait dire parfois avec ironie: "Non, non, ne croyez pas que je me prenne au sérieux." Et Luce ne perdait pas de l'oeil ce beau visage tourné vers elle, ce visage presque défiguré par un nez trop grand.

– Le Pantin noir!

Et ce fut sous cette appellation irrespectueuse et tendre qu'il tint la première place dans ses pensées.

Il revint pendant une semaine. Il avait toujours le regard moqueur et doux de ceux qui détiennent un secret et s'amusent de voir les autres se creuser la tête.

Et voilà qu'un jour Luce eut beau l'attendre et se coller contre la vitre froide, le Pantin noir ne se montra pas. Elle se rendit compte jusqu'à quel point sa présence muette lui était devenue nécessaire. Elle n'avait vécu cette semaine que pour l'instant où elle allait tirer le rideau…

La vie normale reprit son cours. Mais était-elle normale? L'attitude de son père la surprenait de plus en plus et Prospérine était d'une humeur impossible.

Luce la rencontra dans la cage d'escalier, chargée d'une corbeille.

– Je vais t'aider à la porter, lui dit-elle en saisissant une anse.

Mais la bonne la repoussa.

– Merci, je peux me débrouiller seule. D'ailleurs il y a assez de choses idiotes que je suis obligée de faire dans cette maison! cria-t-elle avec brusquerie.

Et elle ajouta:

– Tu n'as pas besoin de me suivre partout!

Au premier étage, son père remarquait:

– Ne fais pas tant de bruit, Luce! Tu dégringoles les marches, tu claques les portes. Un peu de douceur féminine, ma chérie!

Mais il avait l'air anxieux et Luce entendit très bien Prospérine dire du fond de sa cuisine:

– Que de chichis pour une traînée!

Pendant trois longs jours, le Pantin noir n'était pas revenu. Luce se désolait.

– Pourquoi regardes-tu toutes les minutes à la fenêtre? lui demandait M. Alvaine.

– Ça m'amuse!

– Tu perds ton temps à des sottises, ma fille. Occupe-toi plutôt de tes devoirs et de tes leçons.

Mais il n'insistait pas, étant lui-même préoccupé. Enfin le quatrième soir, le Pantin noir reparut. Mais il allait d'un pas pressé et il ne prêta aucune attention au petit visage ravi de Luce.

Plusieurs fois, en vain, elle retourna à son poste d'observation. Personne sur la route… Son front cognait contre la vitre et elle frottait la buée qui l'obscurcissait. Mais elle fut tout à coup éblouie: une automobile montait et passait devant la maison. Luce laissa échapper un léger cri. Elle venait d'apercevoir là-bas une longue silhouette dégingandée, trahie par les phares.

Donc, *il* était là. Il la regardait de loin. Et il avait pu constater combien elle tenait à le revoir…

Les chambres sous le toit n'étaient plus habitées depuis longtemps. Là étaient relégués les meubles inutiles, le linge sale, les ustensiles détériorés; et c'est là aussi que les souris avaient établi leur royaume.

Le lendemain, Luce mue par un pressentiment bizarre monta les visiter. Elle se dirigea d'abord vers l'angle nord-ouest de la maison. Elle tourna une poignée. A sa grande surprise, la porte résista: elle était fermée à clé. Il en fut de même pour la seconde.

– Qu'est-ce que tu viens chercher ici?

A l'autre bout du corridor, son père se tenait, immobile. Il avait parlé d'une voix calme, aimable même; aussi Luce fut-elle frappée de voir s'altérer ses traits.

– Rien, dit-elle. Je voulais simplement ouvrir ces pièces. Je n'y suis pas venue depuis une éternité. Elles ne contiennent pas de trésor pourtant? Pourquoi sont-elles fermées à clé?

– C'est probablement Prospérine. Oui, je ne vois pas pour quelle raison… Oui… c'est curieux. Je lui en parlerai. Mais après tout la chose est sans importance.

Et M. Alvaine s'en alla en chantonnant.

Prospérine continuait à s'agiter. On aurait dit qu'elle devait accomplir un travail au-dessus de ses forces. Pourtant jusqu'alors elle s'était tirée sans peine des besognes ménagères. Et si Luce lui posait une question, elle maugréait en détournant la conversation.

"On me cache un secret…", pensait Luce.

Mais quel secret? Il y avait déjà celui du Pantin noir.

Luce lisait près de la fenêtre de la salle à manger. Dehors, les arbres en fleurs qui avaient souffert du gel se détachaient sur l'ambre vert des prés et la grande montagne bleue se confondait avec le ciel. Sur la route, la poussière dansait au moindre coup de vent.

Et quand elle releva les yeux, le singulier personnage était de nouveau là. Il lisait, lui aussi dans un livre, et passa sans tourner la tête. Son grand manteau noir se découpait sur cette vive lumière qui faisait ressortir encore plus la finesse de son profil aigu, la blancheur irréelle de son visage et de ses mains.

Il avait passé.

Quand il revint, il regarda bien la maison mais n'arrêta point les yeux sur la fenêtre de Luce. Il semblait maintenant moins jeune que les premières fois, son expression même s'était transformée; il se tenait plus droit, il avait l'air grave et heureux.

Puis il repartit.

"Ce soir, j'irai vers lui", se dit-elle.

Elle attendit tout le jour. Enfin arriva l'heure où elle jeta une pèlerine sur ses épaules et fit le guet. Le voilà le Pantin noir! Leur sort allait se décider. Elle traversa la pièce en courant, longea le corridor et atteignit la porte. Elle s'apprêtait à l'ouvrir mais quelqu'un la retint, c'était M. Alvaine.

– Où vas-tu?

Luce ne pouvait répondre.

– Dis-moi pourquoi tu sors?

– Je vais me promener.

– Maintenant? Dans la nuit? Mais on soupe tout à l'heure et justement j'ai quelque chose d'important à te dire.

– Papa! supplia Luce.

Mais elle ne montra aucune résistance et suivit son père.

LE SECRET DE M. ALVAINE

12

Le repas fut silencieux comme d'habitude. M. Alvaine n'avait encore rien dit à sa fille, et Luce attendait dans une atmosphère lourde de malaise. Son père était là, au bout de la table, le regard fixant un horizon lointain. Il était là, mais elle sentait qu'il n'y était guère.

De ses gros doigts, il tourmentait son lien de serviette et tapotait la nappe à petits coups réguliers.

A quoi pensait-il? Et elle-même? Une angoisse les envahissait, ils luttaient contre cette angoisse. Puis l'attitude de M. Alvaine changea. Il regarda Luce. Dans ses yeux, il y eut presque de la timidité et une insistance inquiète.

Luce attendait.

– Il n'est pas bon que l'homme soit seul, dit soudain M. Alvaine.

Cette phrase inattendue provoqua chez sa fille un fou rire qu'elle eut beaucoup de peine à cacher, mais un second coup d'oeil sur son père l'arrêta net.

– C'est pourquoi, ajouta-t-il, j'ai l'intention de

me remarier.

– Mais tu as raison, papa. Pourquoi ne le disais-tu pas plus tôt?

– C'est que… j'ai peur que tu ne comprennes pas. Tu seras peut-être très étonnée… peut-être scandalisée, parce que…

Il n'acheva pas. Luce souffrait mais ne voulait pas le montrer.

– J'aurais mieux fait de t'en parler dès le début. Mais plus on s'entête et plus il est difficile de s'en sortir…

Un silence de nouveau. Luce ne posait pas de questions. Elle se sentait lasse et triste. Elle voyait le profil dur de M. Alvaine, ses grosses mains terriennes, ses vêtements mal coupés de bourgeois campagnard. Il se leva.

– Viens, dit-il.

Elle le suivit. Ils montèrent l'escalier et arrivèrent aux petites chambres sous le toit. Solennellement, M. Alvaine frappa à l'une des portes.

– Mais elles sont fermées! fit Luce.

Il lui mit son doigt sur la bouche et frappa une seconde fois plus fort.

– Je crois qu'elle dort.

Et d'un coup sec il ouvrit la porte.

Un grand désordre régnait dans la chambrette. Des objets hétéroclites formaient un tas sur le plancher. Il y avait des morceaux de papier, des boîtes vides de chocolat, des poupées, des cartes postales en couleur. Et dessus un billet:

Brûlez toutes ces choses, je vous en prie. Quant aux meubles, un camionneur viendra les chercher lundi.

Sur une table, était posée une enveloppe adressée à M. Alvaine. Il l'ouvrit et lut à mi-voix.

Cher Monsieur,

Une vie nouvelle s'ouvre devant moi, une vie simple et sans fard. Je travaillerai pour gagner mon existence. Je me suis dépouillée de tout ce qui pouvait me rappeler mon triste passé.

Merci profondément pour tout ce que vous avez fait pour moi.

Je ne l'oublierai jamais.

Danielle

M. Alvaine, très ému, entraîna Luce hors de la chambre et referma la porte:

– Je vais t'expliquer.

Elle fit un geste résigné qui voulait dire: "Je comprend tout."

– Non, tu verras, ce n'est pas ce que tu penses, non, pas du tout, reprit M. Alvaine d'une voix étranglée. Mais voilà, je n'aurais pas dû te cacher que nous avions depuis quelque temps une pensionnaire…

– Une pensionnaire?

– Je ne voulais pas… C'est surtout Prospérine qui ne voulait pas que tu le saches. Elle me répétait: "Il ne faut pas que Luce fréquente cette femme!…" Moi, je ne pensais pas comme elle mais je craignais que tu te choques de l'hospitalité que nous donnions à cette personne. Elle était tellement à plaindre, elle était si malheureuse! Pauvre Danielle… Ah! ces Marquirotte!

– Les Marquirotte? fit Luce stupéfaite.

– Oui, ils n'ont même pas accepté de recueillir leur fille. Son père surtout a été d'une violence… Il l'a chassée de la maison.

– Danielle? C'est leur fille?

– Leur aînée, oui, partie trop jeune vivre sa vie dans les grandes villes… Et ça ne lui a pas réussi.

Jamais Luce n'avait entendu son père parler ainsi. Elle ne le reconnaissait plus et elle l'aima davantage.

– Le jour où elle est arrivée, je suis sûr que tu en aurais eu pitié aussi. Elle ne pouvait plus rester à l'*Hôtel des Voyageurs*, elle n'avait pas d'argent et les gens la martyrisaient. Elle n'osait plus sortir. On la montrait du doigt, et les gamins lui jetaient des pierres. Elle est venue se réfugier ici, mais je n'ai pas voulu que tu le saches, ni toi ni Michel.

Il soupira.

– Je lui ai prêté les deux pièces du haut. Elle s'y

est installée avec quelques meubles sauvés de ses naufrages, et elle a vécu comme une recluse. Personne ne savait où elle se trouvait.

– Tu as bien fait, dit Luce. Mais pourquoi n'avais-tu pas confiance en moi?

Il ne répondit pas.

– Et tu l'as vue si misérable et si belle... Tu en es tombé amoureux. Et tu as même cru que tu pourrais l'épouser, n'est-ce pas?

– Oui.

– Et tu croyais que je n'accepterais jamais. Tu t'imaginais que je mépriserais Danielle...

– J'ai eu peur de cela, oui, dit M. Alvaine.

– Papa, je t'aime bien.

Et Luce l'embrassa.

L'AUTRE VILLE

13

Luce devait aller voir, cet après-midi-là, une vieille parente de sa mère qui habitait la petite ville voisine.

La cadence du train l'obséda un moment, puis elle ne l'entendit plus. Elle était plongée dans cet état de rêve qu'elle connaissait de plus en plus souvent. Derrière la vitre, les vignes s'étageaient le long de la montagne comme les marches irrégulières d'un escalier géant. Les fils électriques chaviraient et se relevaient par à-coups brusques.

Luce observa les gens du compartiment. Une jeune fille, en face d'elle, croisait et recroisait son châle grenat sur ses épaules. Une émotion semblait l'agiter. Cela se remarquait à son attitude nerveuse et au trouble de ses yeux; elle respirait parfois profondément et fronçait un front inquiet. A sa gauche, était assis un vieux monsieur qui lisait son journal tout en se grattant le menton. Et là-bas?…

Luce reçut en pleine poitrine un choc et ferma les paupières. Elle n'osait pas les rouvrir, tant elle avait peur de ne plus voir ce qui venait de la frapper. "C'est impossible, c'est impossible!" se disait-elle en serrant avec force ses deux mains l'une contre l'autre.

Quand elle regarda de nouveau, il était toujours là. C'était donc vrai, Luce ne rêvait pas.

Le Pantin noir se tenait à l'autre bout du wagon, le dos tourné. Mais Luce voyait la grande mèche sombre, un croissant de la joue blanche et un peu du nez proéminent.

Elle ne sut pas combien de temps cela dura. Puis elle le vit pousser la porte et sortir le premier. Le train s'était arrêté dans l'autre ville.

Alors Luce n'hésita pas une seconde. Elle se leva et suivit le jeune homme. Elle marchait comme un automate, ne quittant plus des yeux le Pantin noir.

Au-dessus de cette ville, deux collines jumelles se haussaient, chargées d'églises et de châteaux comme dans le décor du Théâtre des Marionnettes.

Les rues étaient bordées de maisons dont les teintes, lavées par les pluies et léchées par le soleil, devenaient d'une douceur sans pareille. Elles ne semblaient pas habitées. Parfois pourtant, une étrange vieille dame coiffée de dentelles noires avançait comme une ombre entre les arcades. Peut-être que l'une d'elles était la parente à qui Luce oubliait de rendre visite.

Et le Pantin noir marchait vite, elle devait courir.

Elle s'enfonça encore dans des ruelles étroites qui se tortillaient sous des voûtes, finissaient par arriver dans des carrefours où de longues échelles s'appuyaient contre des bâtisses aux fenêtres sans vitres. Elle s'arrêta devant des cours, où l'herbe ne poussait plus entre les pavés; des enfants jouaient mais elle les entendait à peine.

Et toujours devant elle, marchait le Pantin. Elle le perdit de vue, le vit reparaître dans une autre direction. "Où va-t-il? Où va-t-il?" se demandait-elle. Et sans se lasser elle le suivait.

Elle crut enfin l'atteindre mais elle arriva trop tard. Le jeune homme avait disparu.

Désespérée, elle erra encore longtemps dans les rues de la ville. Il commençait à faire nuit. Des lumières vacillaient entre les façades, et les deux collines étaient devenues aussi noires que le ciel.

Luce reprit le chemin de la gare. Un train allait repartir dans quelques minutes. Elle attendit d'abord sur le quai, mais elle ne vit personne et monta.

Elle se blottit tout au fond du wagon.

Elle crut entendre les roues scander:

Est-il mort
Est-il vivant,
Celui qu'emporte le vent?

Et Luce écoutait le chant des roues.

A une petite station, car c'était un omnibus, elle vit entrer un pauvre ouvrier. Elle ne l'aurait peut-être pas remarqué s'il n'avait salué à la ronde les voyageurs présents.

Il semblait intimidé et ravi de les voir. Personne ne fit attention à lui, et le coeur de Luce se serra un peu de pitié. Elle continuait à l'examiner en se disant: "Mais qui est celui-là, il me semble le connaître…"

La figure mal rasée du jeune homme s'illuminait d'un sourire enfantin. Il était assis maintenant, non loin d'elle. Il avait accroché sa casquette à une patère et il promenait ses bons yeux sur tout ce qui l'entourait.

Sur un autre banc, une jeune fille très mince et élégante tenait sur ses genoux une serviette de cuir contenant des cahiers de musique. "Elle doit aller au conservatoire, pensa Luce, et elle revient le soir à la maison."

Soudain, l'ouvrier s'avança vers la musicienne. Luce n'entendit pas ce qu'il lui disait. Il devait lui demander humblement quelque chose. La jeune fille acquiesça d'un air vaguement ironique et résigné, mais non surpris. Elle tendit au jeune homme un paquet de cahiers.

Et Luce le vit les ouvrir et lire, oui, déchiffrer avec passion, sans perdre une seule note ni un seul accord, tous les morceaux les uns après les autres.

Son visage penché resplendissait de joie. Écoutait-il les mélodies qui s'échappaient des pages? Un concert magnifique, dans ce wagon enfumé aux banquettes sales? Suspendue à son crochet, la casquette à la doublure déchirée se balançait toujours.

– Mais c'est un des fils Marquirotte! s'exclama Luce.

Elle se leva pour aller le saluer. Il se montra fort heureux de la revoir et la trouva grandie. "Une vraie demoiselle!" dit-il. Et il lui raconta qu'en dehors de son travail à l'usine il apprenait maintenant le solfège et qu'un ami lui avait offert une guitare.

Luce n'osa lui parler de sa soeur aînée, Danielle. Pourtant elle aurait bien aimé savoir ce qu'elle était devenue.

Elle retourna, les jours de congé, dans cette ville où le Pantin noir avait disparu.

Elle vagabondait le long des trottoirs, dévisageait les passants, poussait les lourdes portes des églises pleines de fraîcheur et d'une odeur d'encens, gravissait les marches disloquées des venelles. Elle observait tout. Les habitants ne s'étonnaient pas de sa présence et ne s'inquiétaient nullement de ses allées et venues. Elle demanda à sa vieille parente si elle ne connaissait pas quelqu'un, ici, toujours habillé de noir, qui ressemblait à un pantin. Mais sa tante n'avait jamais rien vu de pareil.

"Hélas! se disait Luce, si seulement je savais où il demeure."

Et toujours, les deux collines se penchaient sur la ville avec leurs ruines et leurs rochers. Et Luce marchait, marchait. Elle regardait d'un air indécis les grandes maisons grises, vertes, roses ou rouges, mais leurs fenêtres ne s'ouvraient jamais. "A force de parcourir toutes les rues, je le reverrai bien une fois", se disait-elle encore. Et cet espoir la remplissait de courage et de bonheur.

La nuit, Luce visitait en rêve cette ville.

Alors, la ville n'était plus qu'en toile et en papier mâché. Les façades surgissaient de terre, puis y rentraient comme actionnées par les poulies. Et les deux collines se transformaient aussi. Elles étaient faites de carton peint que l'on changeait à chaque saison. Au printemps, enduites de poudre d'argent et enveloppées de gaze bleue, elles brillaient. En été, elles brûlaient. En automne, elles étaient découpées dans un métal roux et, en hiver, elles ressemblaient à deux mitres blanches.

Dans son rêve, Luce pensait:

"Aujourd'hui certainement je le reverrai!" Mais une anxiété la prenait: "Je ne me souviens plus du tout de son visage. Comment est-il?" Et elle avait beau se tourmenter, elle ne trouvait plus rien dans sa mémoire. Il y avait aussi quelque chose qu'elle devait lui dire, mais elle ne savait plus.

Luce s'asseyait sur une marche d'escalier, le menton dans les mains, et elle se réveillait *dans sa chambre*.

14

M. Alvaine s'était remarié. Cette fois-ci sans enthousiasme et sans jouer aux sauveteurs de jeunes filles dans la détresse. Il avait déniché une femme pas bien jolie et déjà un peu âgée. Luce et Michel n'avaient rien dit. Prospérine était partie habiter ailleurs.

La nouvelle Mme Alvaine apporta bien des changements avec elle. Luce perdit son droit de lire et de rêver à son aise.

– Te voilà encore avec un roman? Mais tu perds un temps précieux. Fais au moins quelque chose d'utile! Tu as des bas à raccommoder, et je veux t'apprendre la broderie. Tu ne sais rien!

– Broder des tapis ridicules, voilà ce que j'appelle perdre mon temps! répliquait Luce.

Chaque soir, sa belle-mère jacassait durant une heure sur ce qu'il fallait faire le lendemain, et le surlendemain. Elle compliquait les choses les plus simples. Luce se mettait des boules de cire dans les oreilles, et son air absent froissait fort la belle-maman.

Les rideaux à ramages de la salle à manger furent remplacés par des stores en filet sur lesquels des Amours joufflus tiraient à l'arc. Les naïves peintures sur verre disparurent des parois et à leur place s'étalèrent des reproductions en couleur de peintres anglais.

– Nous ne sommes pas des paysans! disait Mme Alvaine.

Luce pleurait de rage. Mais elle ne pouvait rien faire. Ce fut le comble quand sa belle-mère décida de repeindre la maison:

– C'est affreux cette couleur rose! C'est bon pour les bicoques des vignes. Nous allons lui passer un belle couche blanche, et les volets seront repeints en vert, n'est-ce pas, mon chéri?

M. Alvaine approuvait toujours.

– Non, non! Ça jamais! cria Luce. Non, je ne veux pas! Ce ne sera plus notre maison!

– Allons, un peu de respect, Luce, dit sévèrement M. Alvaine.

– Du respect? Le sens du respect vous est-il connu? *Connu?* répliqua-t-elle et tout son visage exprimait une telle ironie que Mme Alvaine ne se contint plus.

– Peste! Regardez-moi cette orgueilleuse, cette petite rôdeuse!

– Oui, tu rôdes beaucoup, ces derniers temps. Où vas-tu? demanda son père.

– Je vais où je veux!

Et elle sortit en faisant claquer la porte.

Michel était revenu à la maison pour des vacances, et Luce pouvait enfin communiquer avec quelqu'un. Un jour elle lui dit:

– Tu ne sais pas, Michel, le bien que me faisait ce drôle de personnage. Il avait une telle bonté dans ses yeux…

– Tu penses encore à ton Pantin noir?

– Je voudrais tant le retrouver. Je le chercherai toute ma vie et je le retrouverai. J'en suis sûre.

Michel ne disait plus un mot et regardait attentivement sa soeur. Soudain elle eut un petit rire:

– Ne ferais-je pas mieux de l'oublier? J'en serais délivrée…

– Tu n'y arriverais pas, dit son frère. Et puis au fond, tu tiens trop à le garder! Que ferais-tu sans cette espèce de fantôme, que ton imagination a peut-être créé de toutes pièces, car j'ai de la peine à y croire! Tu ne connais ni son caractère ni son nom, ni rien. Et tu ne rêves qu'à lui, tu ne le cherches pas seulement dans les rues et sur les routes, mais aussi dans les livres. Existe-t-il vraiment, oui ou non?

– Je ne sais plus, répondit sa soeur.

Il devait être très tard, ce soir-là. Michel et les parents étaient montés dormir, mais Luce assise sur une chaise basse du salon n'allait toujours pas se coucher.

Un roman fermé sur ses genoux, elle restait immobile, inconsciente de l'heure. Le feuillage du peuplier, par la fenêtre ouverte, brillait comme mille petites lunes accrochées aux branches. Un oiseau nocturne répétait depuis si longtemps le même cri que Luce finissait par ne plus l'entendre. Elle fixait les yeux droit devant elle, et voici ce qu'elle crut voir:

Debout, à gauche de la cheminée, le long Pantin noir qui la regardait. Elle savait bien qu'elle l'imaginait, mais elle se leva quand même et les deux bras tendus elle se dirigea vers lui. Ses mains heurtèrent les briques rouges de la cheminée.

– Je savais bien qu'il n'y avait personne…, fitelle d'un air las.

Luce se promène.

Dans la forêt chaude, la lumière auréole les pins, et l'écorce de leurs troncs violets se fendille. Le limon du chemin se craquelle, les cônes s'écrasent sous ses pas et un rameau griffe sa joue au passage. Du sol roux, les genévriers jaillissent comme des flammes sombres. Un étang est là. Mais son silence est trop grand pour qu'elle devine sa présence. Tout autour, les roseaux lui font une couronne et un chevreuil les écarte pour aller boire.

Luce avance toujours dans la forêt brûlante. Elle

s'arrête, un serpent lui barre le chemin. Il a des dessins noirs sur ses écailles argentées. Il rampe et disparaît.

Le second étang, Luce ne l'a jamais vu encore. Elle craint de s'en approcher. Il est profond. L'eau transparente laisse voir des troncs d'arbres morts.

Luce s'est déchaussée.

Elle sent sous ses pieds nus les aiguilles sèches, la rugosité des gazons sauvages et la morsure légère des chardons. Elle danse… Seul moyen pour elle d'exprimer son bonheur devant la beauté de la nature. Elle danse… et son corps est devenu pareil à la liane que le vent courbe et balance. Ses bras ont des gestes simples et souples, jamais appris, et ses jambes suivent un rythme que personne ne peut entendre. Elle danse, elle est une herbe longue, elle est une racine, une branche de la forêt.

Pourquoi se fige-t-elle? Pourquoi cette pâleur sur ses traits?

Quelqu'un est là. Un grand visage clair, où les yeux contiennent le monde et, sur le front, une mèche. Le Pantin noir est là *véritablement*. Et parce qu'elle y a trop pensé, la réalité de cette apparition l'effraie. La rencontre est trop belle. Mais derrière le jeune homme, il y a une jeune fille en robe blanche.

Et Luce s'est enfuie dans les pins. Le sentier résonne sous sa course folle. Les troncs, comme des colonnes, glissent et tournent.

A la foire d'automne, Luce redescendit un soir vers les baraques foraines.

Elle revit le même cirque. Lilette avait beaucoup grandi et perdu son charme d'enfant prodige. Elle s'enfarinait la figure et la petite robe jaune n'existait plus.

Luce chercha aussi le Théâtre de Marionnettes, mais il n'était pas là. Elle se dirigea du côté des roulottes et s'informa auprès des bohémiens:

– Vous vous souvenez, le montreur de marionnettes? Il était avec vous il y a deux ans. Il avait même un jour remplacé le clown.

– Attendez… lui répondait-on. Ah! vous voulez peut-être parler du peintre Serge? Oui, c'est bien lui qui avait le petit théâtre. Il ne vient plus avec nous. D'ailleurs il faisait le métier par jeu, c'était un enfantillage, une toquade. Mais il les aimait, ses marionnettes!…

– Un soir, il s'est même battu! dit un autre. Il a eu la main cassée…

– Mais c'était pas pour une marionnette! C'était pour une femme.

Un autre bohémien prit la parole:

– Moi je sais qu'il habite la ville voisine maintenant. Oui, c'était un gentil jeune homme, mais un peu cinglé. Il est parti avec le foehn! Il reviendra avec la bise!

Et tous se mirent à rire.

"C'était bien l'être le plus déconcertant que j'aie jamais vu", pensa Luce et elle s'en alla.

LES FIANÇAILLES

15

– Vous comprenez, Luce, dit le fils Marquirotte, ça me rendrait grand service… Ma soeur Céline n'a pas le temps: elle est vendeuse aux "Nouveaux Magasins". Moi, j'ai envie de lancer ça ici: les musiciens ambulants. On en voit beaucoup dans les grandes villes et ce n'est pas mal porté. Je suis sûr que ça vous amusera, comme je vous connais!

Luce sourit.

– Alors vous êtes d'accord?

– Oui.

– Vraiment, vous acceptez! Oh! je n'osais pas l'espérer… Et ça ne vous fera rien d'être obligée de ramasser des sous dans la rue?

– Ça ne me fera rien, dit Luce très vite.

– Et vous n'avez pas peur d'être reconnue?

C'était lui maintenant qui hésitait.

– L'opinion des gens m'est parfaitement indifférente, fit Luce avec fierté.

– D'ailleurs, reprit le fils Marquirotte, dans la ville où nous irons, vous ne risquez pas trop de tomber sur des importuns.

Luce sourit de nouveau.

– Alors c'est oui? Merci.

Et avec enthousiasme, il serra la main tendue de la jeune fille.

Arrivée dans sa chambre, Luce enleva son manteau et mit, sur sa vieille robe grise, une pèlerine de laine noire. Elle enfila des bas épais, chaussa des souliers trop larges. Sans être vue, elle sortit de la maison et rejoignit le fils Marquirotte qui l'attendait, sa guitare à la main.

Ils descendirent à la gare et montèrent dans le train. Luce se rappela son premier voyage dans la ville du Pantin noir. Que de découvertes depuis!

Le train stoppa.

Durant une seconde, elle ne se sentit plus la force de jouer le rôle d'une mendiante.

– Allons-y! dit-elle pourtant d'une voix ferme.

Dans la rue, ils marchèrent sans souffler mot.

Les souliers trop grands de Luce battaient le pavé, comme des savates. Une épouvante s'empara d'elle. Il lui semblait que le son de ses pas couvrait tous les autres bruits. Le monde allait l'entendre! Dans les glaces des vitrines, elle voyait une adolescente qui lui faisait une impression étrange. Elle se retournait pour la regarder encore, et constatait avec surprise que cette adolescente c'était elle.

"Elle a l'air de me narguer."

Peu à peu, Luce sombra dans un état d'indifférence qui lui permit de subir sans honte certains regards étonnés des passants. Une musique de gramophone sortait d'un petit café. Le vent fit gonfler sa pèlerine et sa main pendante heurta la guitare de son compagnon. Mais elle commençait à éprouver la joie maligne d'un mystificateur qui joue un bon tour aux badauds. "Je n'ai jamais pensé que cela m'amuserait autant..." et une sorte d'allégresse illuminait son visage.

Les deux musiciens traversèrent des rues misérables et débouchèrent dans un quartier de belles demeures. Ils firent halte devant une maison au toit presque plat, peinte en vert pâle. Le fils Marquirotte se mit à jouer de sa guitare et Luce chanta.

Elle se sentait très calme. Elle savait que ce jour-là serait un grand jour. Elle chantait de ces vieilles chansons où certaines phrases reviennent toujours et insistent.

Mon père veut me marier
J'entends le loup, le renard chanter...
A un vieillard il m'a donnée,
Qui n'a ni maille ni denier.

Luce levait la tête vers les fenêtres. Des gens étaient là qui les regardaient et leur jetaient de la monnaie et des petits paquets de papier contenant des sous. Les paquets étaient faciles à ramasser, par contre les piécettes rebondissaient sur le trottoir et allaient parfois se cacher dans les fentes.

Luce était reconnaissante envers ces personnes de l'accepter dans ce rôle, de ne pas la chasser en lui disant: "Vous n'avez pas le droit, vous, de faire cela!"

Si on lui avait parlé ainsi, elle se serait enfuie sans protester, comme une coupable. Là-bas au bout de la ville, le ciel était si bleu!… La ligne du trottoir et celle des réverbères s'y rejoignaient. Le fils Marquirotte se tourna vers Luce et lui dit:

– L'argent ne tombe pas partout comme ici. Faut pas se faire d'illusions.

Ils avançaient toujours. Luce voyait au-dessus d'elle le treillis des branches de platanes. Et toujours, elle chantait de sa voix jeune et belle, accompagnée de la guitare:

Tous les oiseaux du monde
Viennent y faire leurs nids!

Elle se trouva soudain devant une maison ancienne qu'elle n'avait jamais vue, mais qu'elle était sûre de connaître. Son compagnon lui fit signe de commencer, elle le regarda fixement. "Que faisait-elle ici? Pourquoi ce garçon l'obligeait-il à chanter? Pourquoi était-elle accoutrée de cette façon?" Et Luce ferma les yeux. Elle n'entendit plus les sons aigrelets de la guitare et se mit à écouter sa propre voix:

Qu'est-ce qui passe ici si tard,
Compagnon de la Marjolaine?...

Il lui semblait que ce n'était pas la sienne, mais celle d'une étrangère. Et elle ne s'étonnait de ne point percevoir de tremblement dans cette voix, tandis que tout son corps à elle tremblait. Non, elle ne savait plus maintenant pourquoi elle était venue. Quelle idée folle avait pu l'entraîner jusqu'ici?

Mais elle ressentit tout à coup une grande paix très douce, comme une caresse sur sa joue.

Et Luce ouvrit les yeux. Sur le balcon là-haut, elle vit trois petites filles. Elles ont de longues robes qui leur donnent des airs de dames; à côté d'elles se tient un jeune garçon en costume bleu marine.

Ils applaudirent tous les quatre, et jamais Luce n'avait vu tant de joie dans des yeux d'enfants. Ils se retournèrent vers la porte entrebâillée et appelèrent:

– Serge! Viens voir! Viens!

Luce attendit.

Elle savait qu'*il* viendrait. Et quand enfin le Pantin noir apparut lui aussi sur le balcon, elle eut la force de le regarder. Elle le vit se pencher à l'oreille du jeune. frère et lui chuchoter quelques mots mystérieux. Les petites filles se pressaient autour d'eux, curieuses. Puis ils rentrèrent tous dans la maison.

Au bout d'un instant, le garçon en ressortit et s'approcha des musiciens.

– Montez avec moi, leur dit-il, Serge vous invite.

– Ça c'est gentil! Quel chic type! s'exclama le fils Marquirotte.

– Comment! Vous le connaissez? demanda Luce.

– Oui, fit-il, c'est lui qui m'a fait cadeau de la guitare.

Et tous deux suivirent le petit frère.

Dès l'instant où Luce franchit le seuil de la maison, tout lui sembla naturel et elle ne s'étonna plus de rien.

Elle marchait la dernière en appuyant bien ses pieds sur les marches et en serrant très fort de la main la rampe de fer, comme pour affirmer la réalité de ses actes.

L'idée que ses vieux habits pourraient choquer les hôtes ne l'effleura pas.

Au premier étage, la porte s'ouvrit doucement, et les enfants firent la haie pour les laisser passer. Dans le hall, une grande corbeille de roses était posée près d'une pendule qu'on avait oublié de remonter. Des éclats de rire et de nombreux murmures se faisaient entendre d'une pièce voisine.

Que s'y passait-il?

Ils se dirigèrent de ce côté et Luce entra dans une salle où se tenaient, debout autour d'une table ovale, des messieurs et des dames en grande toilette. Ils tournèrent tous la tête vers les nouveaux arrivants et saluèrent. On leur indiqua des chaises et tout le monde s'assit.

Luce aperçut à l'autre bout de la table le Pantin noir qui la regardait toujours d'un air profondément heureux.

Elle oubliait de se servir, et le fils Marquirotte la poussa du coude. Mais elle était incapable de manger, et sans le secours de son compagnon qui escamotait chaque fois le contenu de son assiette, son attitude eût pu paraître bizarre.

Les pendeloques de cristal du lustre s'agitaient imperceptiblement comme les feuilles d'un arbre lumineux. Une des trois petites filles, assise à côté d'elle, lui racontait des histoires que Luce écoutait sans comprendre, avec plaisir. De temps à autre, la jeune bavarde interpellait d'une voix claire l'une des vieilles dames présentes, qui s'intéressait alors à elle avec une mimique affectueuse. Elles avaient toutes, ces vieilles dames, de laides figures perdues sous de délicieuses boucles de cheveux argentés. Et le haut de leurs robes, à ruches de dentelles, faisait croire à des traînes et à des paniers de taffetas cachés sous la table.

Des bribes de phrases finirent par atteindre

Luce. Ces mots semblaient avoir été prononcés bien avant qu'elle ne les entendît, comme s'ils avaient dû accomplir un long parcours pour arriver jusqu'à elle:

– Figurez-vous, ma chère Suzanne!…

– Oh! moi, je crois qu'ils seront très heureux.

– Il est par trop fantaisiste, ce Serge, mais on ne peut s'empêcher de l'adorer!

– Et aujourd'hui encore il a eu le caprice de… (Un regard du côté des musiciens ambulants.) C'est un peu exagéré tout de même.

– Mais non, tante Roberte, voyons! C'est tout à fait charmant. D'ailleurs il s'agit de quelqu'un de la famille…

– Oh! avec lui, on peut s'attendre à tout.

Rires des vieilles dames.

– Sois sage, Lily, ne joue pas avec ta timbale.

– Mais je ne joue pas!…

– … Tu ne savais pas encore? C'est la plus romanesque histoire du monde! Imagine-toi: une maison rose, dans les vignes, une fenêtre de mansarde éclairée et un curieux minois derrière…

Luce se sent tout étourdie. Elle croit comprendre… Mais elle voit se lever, très grand et tout en noir, le pantin Serge, et à sa droite une mince jeune fille en blanc se lève aussi.

Comment Luce ne l'avait-elle pas remarquée encore. Ces yeux immenses, cette fragilité…

– Danielle! dit-elle.

Mais personne ne l'entendit.

Ce fut un tonnerre d'applaudissements et les cris:

– Vivent les fiancés! Vivent les fiancés!

La fête était pour eux. La corbeille de roses, le grand dîner, cette nappe couverte de verreries, tous ces invités. C'était en leur honneur.

Le Pantin noir l'avait voulu ainsi.

Elle le contempla et des larmes remplirent ses yeux, mais c'étaient des larmes très douces, ses dernières larmes d'enfant.

Alors sans bruit, elle quitta sa chaise et s'en fut sans que personne s'en aperçoive. Et derrière elle, Luce entendait encore:

– Vivent les fiancés! Vivent les fiancés!

Dans la rue, le fils Marquirotte l'avait suivie. Elle se retourna. Il remit sa casquette et sourit avec amitié:

– Nous ferons de grands voyages, dit-il.

– Oui.

Elle avait encore une larme sur la joue, mais elle souriait déjà.

TABLE DES MATIÈRES

Du même auteur, chez le même éditeur:

LE VIOLON DE VERRE, collection Histoire Brève
LE MYSTÈRE DU MONSTRE, illustré par Robert Hainard
LE PANTIN NOIR, collection Ecriture

A paraître:

MONSIEUR TUUUYO ET MADAME RONDO
UN GARÇON VÊTU DE NOIR DANS UN PAYSAGE BLANC
L'ARBRE